UN TRAITÉ NÉO-MANICHÉEN
DU XIIIᵉ SIÈCLE

AMS PRESS

NEW YORK

INSTITUTUM HISTORICUM FF. PRAEDICATORUM
ROMAE AD S. SABINAE

UN TRAITÉ NÉO-MANICHÉEN DU XIII SIÈCLE

LE

LIBER DE DUOBUS PRINCIPIIS

SUIVI D'UN

FRAGMENT DE RITUEL CATHARE

PUBLIÉ PAR

A. DONDAINE O. P.

ISTITUTO STORICO DOMENICANO
S. SABINA, ROMA
1939

Library of Congress Cataloging in Publication Data

Liber de duobus principiis.
  Un traité néo-manichéen du XIIIe siècle, le Liber
de duobus principiis.

  At head of title: Institutum Historicum FF.
Praedicatorum Romae ad S. Sabinae.
  "Summa frastris Raynerii de Catharis et Pauperibus
de Lugduno": p.
  Texts in Latin, pref. in French.
  Reprint of the 1939 ed. published by Istituto
storico domenicano, Rome.
  Includes indexes.
  1. Dualism (Religion)   2. Albigenses.   I. Sacchoni,
Rainerio, d. ca. 1263. Summa de Catharis et Pauperibus
de Lugduno. 1980.   II. Dondaine, Antoine, 1898-
III. Title.
BL218.L52   1980   230′.44   78-63185
ISBN 0-404-16224-X

Reprinted from the edition of 1939, Rome, from an original
in the collections of the Ohio State University Libraries.
Trim size has been altered (original: 16 × 24.5 cm). Text
area is unchanged.

PRÉFACE

Le néo-manichéisme médiéval est un courant philosophique et religieux sur lequel nos connaissances demeurent très incertaines. Les sources directes où puise l'historien ont à peu près totalement disparu, détruites par ordre de l'Inquisition.

Les écrits polémiques, d'origine catholique, les archives des tribunaux d'inquisition et quelques chroniques sont demeurés les lieux ordinaires de nos informations. Après avoir longtemps refusé la valeur de ces sources, la critique historique finit par en admettre la véracité. Cependant une tendance nouvelle se développe à l'heure actuelle. La critique catholique était sincère, mais elle partait d'une compréhension insuffisante des doctrines. Ainsi le dualisme des principes n'aurait jamais été aussi absolu qu'on le croyait chez les controversistes. Nous avons pu lire dans une brochure récente que le courant primitif cathare, le plus intransigeant, avait une apparence dualiste; le catholicisme, avec sa damnation éternelle, la séparation du ciel et de l'enfer, aboutissait à une opposition plus radicale.

Il paraît difficile de charger d'une telle inintelligence des doctrines ceux des polémistes qui étudièrent dans les textes originaux les thèses controversées, et moins encore ceux qui adhérèrent d'abord à la religion cathare. Le cas de l'inquisiteur Raynier Sacconi, ancien ministre d'une des églises de Lombardie puis converti au catholicisme et religieux dominicain, est typique. Sa Somme des doctrines Cathares et des Pauvres de Lyon est un exposé systématique des croyances et des pratiques morales, sans controverses ni réfutation des erreurs. Pour refuser son témoignage il faudrait accuser sa sincérité. C. Schmidt et C. Molinier ont montré que la concordance de la Somme avec les informations des autres sources des pays les plus éloignés et d'époques différentes ne peut laisser place au doute [1]. Au témoignage de ces sources catholiques nous sommes en mesure d'ajouter aujourd'hui celui des Cathares eux-mêmes, non pas à travers des écrits plus anciens qu'eux, comme la Cène secrète ou la Vision d'Isaïe, mais par un ouvrage original, sorti de la plume d'un docteur cathare latin. Sa déposition justifiera d'une manière éclatante les informations d'ordre doctrinal apportées par les polémistes catholiques en général, mais plus particulièrement celles de Raynier Sacconi.

Le *Liber de duobus principiis* est en effet un document d'origine cathare. S'il n'apporte pas un exposé d'ensemble des doctrines, il s'attache du moins au problème fondamental, le dualisme, l'opposition irréductible du bien et du mal, du dieu vrai et bon et du dieu mauvais; il nous place sans détours au principe même de la religion et de la morale des Cathares.

L'intérêt de cet ouvrage dépasse la controverse; source immédiate il permettra d'oublier un moment les informations de seconde main, d'étudier directement les principes métaphysiques mis en cause et de réformer, s'il est nécessaire, les jugements portés par l'histoire sur la philosophie néo-manichéenne dans l'Occident latin.

Autant qu'il est possible d'en juger par les thèses exposées, le *De duobus principiis* a été écrit vers le milieu du treizième siècle; il appartient au milieu assez bien connu de l'église albanaise (*Albanenses*), et plus précisément à la fraction dont Jean de Lugio était le fondateur et le docteur. Raynier Sacconi possédait un exemplaire du grand traité doctrinal composé par cet hérésiarque, il nous a conservé un exposé précis de ses thèses principales. Nous retrouverons dans le traité des deux principes le dualisme absolu, la polémique contre le dualisme mitigé de l'église bulgare (en Italie: de *Concorezzo* ou *Garatenses*), l'acceptation de toute la Bible comme livre inspiré, fait exceptionnel, et trop peu remarqué, chez les Cathares; l'exposé de la doctrine de la création concorde presque littéralement avec ce qui est rapporté par Raynier. Le milieu originel du traité est par là admirablement précisé; géographiquement il nous place dans la région de Bergame-Vérone.

---

[1] On peut voir en ce sens C. Schmidt, Histoire et doctrine de la secte des Cathares ou Albigeois (2 tomes, Paris-Genève 1849), t. 2 p. 227; C. Molinier, Un traité inédit du XIIIᵉ s. contre les hérétiques Cathares (Annales de la Faculté des Lettres de Bordeaux V 1883) p. 15.

La personnalité de l'auteur sera plus difficile à déterminer. Quelques, particularités nous invitent à écarter le nom de Jean de Lugio lui-même; à moins que le traité ne soit antérieur, comme une première ébauche, à l'ouvrage connu de Sacconi. Mais cette incertitude où nous demeurons, est de moindre importance puisque nous sommes rattachés de manière certaine au docteur principal de ce courant particulier du dualisme absolu.

L'intérêt de l'ouvrage croît par le fait qu'il est uni à un rituel cathare, le premier en langue latine découvert jusqu'à ce jour. Au document théorique se joint le document moral et religieux: les deux pièces s'éclaireront mutuellement et permettront une interprétation plus exacte, soit des doctrines, soit des préceptes moraux et rituels.

Sans doute la mise au jour de ce rituel latin est de moindre intérêt que celle du traité des deux principes, nous possédions déjà un rituel cathare en langue romane (ms. de Lyon), mais le fragment nouveau est plus circonstancié et plus précis que le rituel roman; les deux documents se compléteront d'heureuse manière.

Le manuscrit.

L'unique copie que nous connaissions du Livre des deux principes est loin de nous présenter une œuvre bien construite, achevée; il s'agit plutôt d'un recueil où l'on a assemblé sans méthode des morceaux composés indépendamment de l'ensemble qu'ils constituent maintenant. La description préliminaire du manuscrit nous permettra de mieux distinguer ensuite chacun de ces éléments.

Le volume appartient au fonds des *Conventi soppressi* de la Bibliothèque Nationale de Florence; il y porte la cote I II 44 et figure dans l'inventaire manuscrit sous le titre « Liber de duobus principiis ». Avant son entrée à la Bibliothèque Nationale le manuscrit appartenait à la bibliothèque conventuelle de *San Marco,* où il portait le numéro 158. L'inventaire de Saint-Marc du XVIe siècle ne le signale pas, non plus que le catalogue publié au XVIIIe s. par Bernard de Montfaucon [2];

---

2 Le catalogue de Saint-Marc existe manuscrit à l'*Archivio di Stato di Modena,* Stati Esteri, busta 13. – Bernard de Montfaucon, *Bibliotheca Bibliothecarum manuscriptorum nova,* t. I (*Parisiis* 1739) pp. 419-429.

sa provenance et la date de son entrée à la bibliothèque conventuelle demeurent inconnues. Peut-être appartenait-il aux dossiers de l'Inquisition.

De très modeste apparence, le manuscrit est en parchemin; il a été écrit un peu avant la fin du XIIIe siècle, probablement vers 1280. Il comprend un total de 54 folios répartis en six cahiers d'inégale étendue. Deux gardes, au début et à la fin du volume ne sont pas comptées dans ce total de 54 folios. Le format est de 178 mm. sur 118 mm. (les facsimilés photographiques des pages 81 et 147 sont très légèrement réduits). La couverture est de Saint-Marc: carton avec coins en parchemin et dos de cuir. Le titre, porté en lettres d'or au dos, est: Tract. de duob. princip. Plus bas, l'ancienne cote 158, également en chiffres d'or. L'état de conservation est excellent sauf quelques attaques des insectes aux gardes et aux folios voisins.

Au recto du folio 1 une main du XVe s. a inscrit ces titres, résumant le contenu du recueil: De duobus principiis, de moribus ecclesie dei, liber syrach. Des rubriques ont été mises en tête de chaque paragraphe dès le XIIIe siècle; quelques-unes manquent. Les initiales principales sont également au minium. De l'apparence générale du volume se dégage une impression très sensible de pauvreté; manifestement il provient d'un milieu modeste.

Plusieurs mains ont travaillé à la copie du recueil; les éléments principaux appartiennent à deux écritures (de l'Italie du Nord), l'une d'elles présentant des caractères un peu moins évolués que ceux de la seconde. Nous allons dresser un tableau présentant les propriétés du volume sous les rapports du contenu, de la place de chacun des éléments dans le recueil, de la composition des cahiers et des écritures. Nous ajouterons dans une dernière colonne le numéro de la page où les textes publiés commencent dans l'édition.

Contenu	Folios	Cahiers	Écritures	Édition
Excerpta ex Catone	1re garde, v.		c	
De duobus principiis	1r-20v	I (fol. 1-10)	a	81
		II (fol. 11-20)		
Compendium ad instructionem rudium	21r-29v	III (fol. 21-30)	b	116
I^a oppositio contra Garatenses	29v-31v	IV (fol. 31-36)	b	132

Quelques remarques sont utiles. La distinction faite entre les écritures *a* et *b* s'impose à première vue au passage du folio 20v au folio 21r; cependant par la suite on constate une lente évolution des formes de l'écriture *b*, puis *b'*, vers celles de l'écriture *a* [4]. Il n'est pas exclu que ces écritures soient d'un même copiste, il y aurait eu simplement un intervalle assez long entre la copie des différents éléments. La distinction des copistes est cependant plus probable. La forme *b'* est postérieure à *b*, mais nous croyons qu'elle est de la même main. La comparaison des écritures avec la place qu'elles occupent dans les cahiers montre l'unité de composition des cahiers I et II. Les deux cahiers suivants furent d'abord copiés jusqu'au folio 32r par *b*, puis les folios 32v-35v par *b'*. La fin du quatrième cahier fut complétée par *c*. Les cahiers V et VI sont de la main *b* jusqu'au folio 48r, puis de la main *b'*. Les sentences morales des folios 51v-53r forment un fragment homogène sous le titre *Jesus filius syrach*; il est de la main *b*. Les derniers folios ont été achevés par la main *c*. Il y a donc lieu de distinguer trois sections distinctes, correspondant à des différences temporelles dans

---

3 Voir le détail des extraits de Caton page 12.

4 Les deux fac-similés photographiques des pages 81 et 147 représentent les écritures *a* et *b'*.

l'établissement du recueil: 1) folios 1-20; 2) folios 21-36; 3) folios 37-54. Cette dernière section devrait encore être distinguée en deux étapes, folios 37r-51r et 51v-54v

La réclame en fin du second cahier correspond au début du folio suivant; elle est de la main a, comme le texte des deux premiers cahiers. Le copiste voulait manifestement rattacher le *De duobus principiis* au *Compendium ad instructionem rudium*; de fait les deux fragments s'enchaînent logiquement. Est-il permis d'en inférer que les deux premiers cahiers auraient été écrits après le *Compendium*? Nous n'osons l'affirmer. Les fragments *b'* ont très certainement été copiés après les fragments *b,* et les fragments *c* en dernier lieu.

Tous les éléments *a b* et *b'* sont de même origine: les formes, le style, les idées sont identiques. Les éléments rangés dans l'écriture *c* sont peut-être de plusieurs mains, mais comme ils sont de moindre importance il n'y a pas lieu de s'y arrêter. La présente édition ne les retiendra pas. Nous allons seulement en donner le détail.

L'ordre suivi par le manuscrit sera respecté, sauf que le rituel sera reporté en dernier lieu, après les fragments *De persecutionibus.*

Analyse des fragments non publiés.

Le verso du premier folio de garde est occupé par les distiques suivants de Caton: livre I, 3-7, 9-11, 14, 15, 17-21, 28-30. Dans les marges le copiste a tracé des lettres sans lien entre elles; il se formait la main. En haut de la marge de droite une main plus tardive a écrit ces mots: « domino alberigo carmina pro laude quod est in allexardo (pour allexandro?) ». Le folio de garde en fin du volume porte au recto ces autres distiques de Caton: livre I, 31, 34, 36, 35b (marge 35a), 37-40a; livre II, 4b, 7, 10-19a; en marge, livre III, 2, 6, 12, 15, 20; livre IV, 16. Ces morceaux sont d'une écriture malhabile. La même main a transcrit au bas du folio 35v trois versets de l'Écriture : *Apoca-lypsis* 3, 9-10 et *Ad Romanos* 14, 11.

Sur ce même verso du folio 35, immédiatement après le fragment *De persecutione pastoris,* lequel achève une fraction importante du recueil, le rubriciste a inscrit en gros caractères le précepte « Noli esse in conviviis peccatorum, neque in commesationibus eorum qui carnes ad vescendum conferunt » (*Proverb.* 23, 20)⁵. A la suite et en mêmes caractères au minium il a ajouté cet axiome en matière d'autorité « Non omnium que a maioribus constituta sunt racio reddi potest, alioquin multa ex his que dicta sunt subvertentur » (Digeste, I 3, *De legibus* 20-21).

Folio 36r (main c), texte de s. Paul à Timothée sur la tenue dans les assemblées religieuses et sur les charges ecclésiastiques, *I Timoth.* 2, 5 à 3, 13.... ministraverint ». Folio 36v, versets de l'Écriture: *Ad Coloss.* 1, 9-20; *Luc.* 13, 1-5; *Ezech.* 28, 18 « Et dabo...-19; *I Corinth.* 13, 1-3.

Folios 51v-53r (main *b*), chaînes de sentences morales tirées des livres sapientiaux (Proverbes, Ecclésiaste, Sagesse et Ecclésiastique), attribués par le rubriciste à *Jhesus filius syrach.* Ces sentences sont rangées sous des thèmes particuliers: De timore, de sapientia, de verbo, de responsione, de mansuetudine, de consolatione, de consilio, de concupiscentia, de superbia, de stulto, de stulto rege, de peccatore, de invidia, de amico, de bono nomine, de occasione, de homine iusto. L'ensemble compte une centaine de sentences.

Folios 53v-54v (main c), texte de s. Paul sur les tribulations de la chair, le mariage et la virginité, tiré de la première épître aux Corinthiens 6, 15 à 7, 39. A la suite *II Corinth.* 12, 6-10. Dans la marge on a ajouté *I Corinth.* 5, 1-2. Tous ces textes scripturaires sont pris de la Vulgate et présentent peu de variantes notables par rapport à l'édition clémentine.

Au folio 51r, en fin des fragments *De persecutionibus,* se lit une brève analyse de l'acte humain mauvais: « De la quatriduanus, imprimis temptatio, et delectatio, et consensio, et consuetudo ».

Au bas de ce même folio un cryptogramme fait mention d'un consolamentum conféré en 1258: « Sagimbenus fuit consolatus 13 die mensis novembris, prima die quadragesime de nativitate a domino henrico in salmignono, et putat quod ipse erat 51 annorum et dimidii vel circa, anno domini 1258 ut ipse credit ». Cette lecture sera peut-être améliorée, notamment pour les chiffres; le cryptogramme n'est pas absolument rigoureux dans la fixité de ses signes et son étendue est trop limitée pour permettre de contrôler la transcription qu'on vient de lire. Les consonnes gardent leur valeur réelle, mais les signes substitués

---

⁵ La Vulgate donne *potatorum* au lieu de *peccatorum.*

aux voyelles ne sont pas constants. Pour les chiffres nous n'avons presque aucun point de comparaison; seule la date du 13 novembre paraît certaine: le carême cathare de la Nativité commençait à la fête de s. Brice, le 13 novembre [6]. Le texte original de ce cryptogramme est présenté au lecteur dans le fac-similé photographique de la page 147.

Analyse des pièces éditées.

Les différences constatées dans les écritures des parties dont nous donnons l'édition posent un double problème; ces pièces littéraires sont-elles d'un même auteur? Doit-on distinguer celui-ci du (ou des) copiste?

Il sera facile de prouver la distinction entre l'auteur et le copiste car ce dernier a introduit des fautes qu'on ne relèverait pas dans un autographe. Voici par exemple des erreurs de lecture aussitôt corrigées: « bonissimi c r e a t u r i s creatoris — quare m i r a n d u m e s t minime concedendum est — dabunt i n e t e r n u m in interitu — b e n e d i x i t dictus.

Une autre preuve peut être tirée de l'âge de l'écriture et de l'époque de composition littéraire des éléments du manuscrit. Les rivalités entre *Albanenses* et *Garatenses* remontent à la première moitié du siècle; l'opposition réciproque des deux courants cathares, dualisme absolu et dualisme mitigé, s'est atténuée devant la rigueur de la persécution que leur faisait subir l'autorité civile et l'Inquisition. Les documents plus récents ne mentionnent plus ces rivalités internes. Les pièces de notre recueil dirigées contre les *Garatenses* nous mettent en présence de disputes soutenues longtemps avant qu'elles fussent consignées dans le manuscrit où elles ont été conservées.

L'unité d'auteur s'impose, il suffit de lire les divers fragments pour en être assuré. Nous faisons une réserve pour les sermons insérés dans le rituel, aucun élément ne permet d'affirmer s'ils sont ou non

---

6 Par erreur C. Schmidt, Histoire et doctrine..., t. 2 p. 138, dit que la fête de s. Brice était le 23 novembre. – Mgr J. M. Vidal, Doctrine et morale des derniers ministres Albigeois (dans Revue des Questions historiques, t. 86, 1909, p. 14) fait commencer le carême de la Nativité au 11 novembre, fête de s. Martin, mais le document qu'il cite porte bien s. Brice.

de l'auteur des autres fragments; les genres sont trop différents pour donner des termes de comparaison. L'étude du rituel et des sermons sera faite séparément de celle des autres éléments.

Composé de pièces et de morceaux le *Liber de duobus principiis* se divise en trois sections principales, la première et la troisième comportant trois subdivisions:

I De duobus principiis
{ de duobus principiis
de creatione
de signis universalibus

II Compendium ad instructionem rudium

III Contra Garatenses
{ prima oppositio
de manifestatione fidelium
secunda oppositio

Les autres fragments du recueil sont sans lien immédiat avec ce qui précède: *De arbitrio, de sententia, de persecutione pastoris.* Les dernières pièces *de persecutionibus*, reportées dans le manuscrit après le rituel, se rattachent logiquement au fragment *de persecutione pastoris.* Nous donnons l'édition intégrale de tous ces éléments à l'exception des derniers, qui constituent une somme d'autorités scripturaires sur la persécution. Pour ceux-ci l'édition comportera simplement les textes originaux formant lien entre les citations bibliques et l'indication du lieu scripturaire de chacune d'elles.

Le rituel, incomplet du début, donne la cérémonie de la tradition de l'Oraison dominicale et celle du Consolamentum. Chacun de ces rites est précédé d'une exhortation morale largement développée; dans la première a été inséré un véritable commentaire de l'Oraison dominicale. Cette dernière pièce en particulier est un document doctrinal de haut intérêt.

Pour l'intelligence de ces multiples éléments il est utile de les replacer dans leur contexte historique, l'auteur suppose connues de ses lecteurs les doctrines de son église, et celles de l'église des *Garatenses*, les oppositions qu'ils font à sa propre église. Son ouvrage est donc assez pauvre en informations générales sur les doctrines cathares, plus encore en informations d'ordre historique. Deux ou trois noms sont cités, mais notre connaissance du milieu cathare italien demeure si fragmentaire qu'il ne paraît pas possible d'identifier ces personnages.

Les églises de l'hérésie en Italie vers le milieu du treizième siècle
ont été cataloguées par Raynier Sacconi avec une grande précision; sa
Somme des doctrines cathares, contrôlée par des sources indépendantes
mais de moindre importance, est le document principal auquel se ré-
fère l'historien. C'est lui qui sera utilisé ici, d'après un texte établi sur
la bonne édition de Martène et Durand et deux manuscrits anciens
conservés à Rome.

Les cathares « Albanenses » [7].

Le néo-manichéisme apparaît dans l'Occident latin vers le début
du XIᵉ siècle; il se rattache aux églises dualistes bogomiles de Bulgarie
et de Macédoine. Au XIIIᵉ s. il était encore de tradition chez les cathares italiens et albigeois que la vérité leur venait de ces provinces de
l'Europe orientale; au XIIᵉ on constate plusieurs rapports personnels
entre les membres de la hiérarchie des églises de France et d'Italie et
les évêques de Constantinople et de Bulgarie (Concile cathare de
Saint-Félix de Caraman en 1167 où l'influence de *Nicétas* évêque
bogomile de Constantinople fut prépondérante; *Petracus,* probablement
évêque bulgare, visite les églises de Lombardie; Nazaire, évêque
patarin d'Italie fait le voyage de Bulgarie pour s'assurer de la véritable
orthodoxie cathare) [8].

---

7 Pour des informations plus détaillées sur l'histoire et la doctrine des Cathares
nous renvoyons aux ouvrages spéciaux. Voici les principaux: C. Schmidt, Histoire
et doctrine de la secte des Cathares ou Albigeois, 2 t. (Paris–Genève 1849). Malgré son
âge cet ouvrage demeure des plus importants. - E. Broeckx, Le Catharisme (Disser-
tation de l'Université de Louvain) Hoogstraten 1916. - J. M. Vidal, Doctrine et morale
des derniers ministres Albigeois, l. c., t. 85 (1909) pp. 357-409; t. 86 (1909) pp. 5-48.
On se repoitera également aux ouvrages historiques sur l' Inquisition: J. Guiraud,
Histoire de l'Inquisition au moyen âge, t. 1 (Paris 1935). H. C. Lea, *A history of
the Inquisition in the middle ages (Philadelphia* 1888); cet ouvrage existe en traduction
française (Paris 1900-1902) et en traduction allemande (Bonn 1905-1913). F Tocco,
L'eresia nel medio evo (Firenze 1884). Voir encore: I. v. Döllinger, *Beiträge zur
Sektengeschichte des Mittelalters,* t. 1 *(München* 1890); H. Grundmann, *Religiöse Bewe-
gungen im Mittelalter* (Berlin 1935). Des notices bibliographiques assez développées
sont données dans les ouvrages de J. Guiraud et E. Broeckx.
8 Concile de Saint–Félix de Caraman: actes édités dans J. J. Percin O. P.,
*Monumenta conventus Tolosani O. P., Opusculum de Haeresi albigensium, fars II, Notae
ad concilia (Tolosae* 1693) p. 1. - *Petracus,* voir N. Vignier, Recueil de l' Histoire
de l'Église *(Leyden* 1601) p. 268: «arriva des parties d'outremer un nommé Petracus

Primitivement la doctrine cathare est un dualisme absolu, et non pas simplement apparent comme quelques-uns le pensent; il enseigne l'existence de deux principes éternels, l'un bon l'autre mauvais, dont les règnes sont totalement séparés. La création matérielle et sensible est une conséquence de la tentative avortée du principe mauvais pour envahir le règne du dieu bon; cette création elle-même est radicalement mauvaise, comme son auteur. Dans le cours du XIIe s. un second courant doctrinal se développe, moins intransigeant. Il reconnaît l'unité de dieu et lui attribue la création des éléments. Le principe mauvais, un ange déchu, s'empare de cette création et y établit son empire; c'est lui qui est l'auteur de la distinction des choses. A partir de là, les doctrines des deux écoles se rejoignent à peu près.

Longtemps dualistes absolus et dualistes mitigés se condamnent réciproquement; devant la persécution les disputes s'atténuent et cessent bientôt complètement, il faut faire front contre les ennemis communs. Il n'est plus fait état de luttes intestines entre les cathares dans la seconde moitié du XIIIe siècle. Il en a été de même en France, où Cathares albigeois et Vaudois chrétiens se condamnaient mutuellement mais s'unirent ensuite pour résister à la croisade.

Les dualistes absolus d'Italie avaient leur principale église aux bords du lac de Garde, à Desenzano; ils étaient connus sous le nom d'*Albanenses*, parce que leurs fondateurs seraient venus d'Albanie. Raynier estimait à cinq cents les membres de cette église, abstraction faite des simples croyants. La communauté de Desenzano semble disparaître au moment des procédures inquisitoriales dirigées contre Sermione en 1276.

Les dualistes mitigés étaient plus nombreux, quinze cents dans la Lombardie. Leur église la plus considérable avait son centre à Concorezzo, petite cité du Milanais. Elle se rattachait aux églises de Bulgarie et d'Esclavonie [9]. Plus communément nommés *Concorenses* par les

---

qui fit un mauvais rapport de Simon evesque, duquel Nicetas avoit receu son ordre de Drugarie : Qui fut cause de faire diviser les Cathares d'Italie en deux partialitez...». Nazaire: voir Raynier Sacconi (infra p. 76). C'est ce même Nazaire qui aurait rapporté le texte de la Cène secrète en Occident.

9 Raynier indique la Bulgarie (infra p. 76); l'Esclavonie est désignée par la *Brevis Summula contra errores notatos hereticorum* du ms. Paris Nat. Lat. 13151 (fol. 347 rb), éd. C Douais, dans La Somme des autorités à l'usage des prédicateurs méridionaux au XIIIe siècle (Paris 1896) p. 123.

2

polémistes catholiques, les membres de cette église sont aussi appelés *Garatenses* dans quelques documents de la première moitié du siècle; c'est sous ce nom qu'ils apparaissent dans le recueil de Florence.

Au temps de Raynier Sacconi (1250) l'église de Desenzano est partagée en deux fractions; l'une d'elles demeure fidèle à l'ancien catharisme absolu, c'est la moins nombreuse, celle des vieux; l'autre subit l'influence du vicaire de l'évêque, son ' fils majeur ' (sorte de coadjuteur avec caractère épiscopal et droit de succession au siège de l'évêque), Jean de Lugio de Bergame.

Jean de Lugio.

L'histoire est presque muette sur ce personnage; à part les renseignements donnés par Sacconi nous ne possédons qu'une simple mention dans la *Brevis summula contra errores notatos hereticorum*, publiée par Douais d'après le manuscrit 13151 de la Bibliothèque Nationale de Paris. L'auteur nomme un certain Jean de Bergame qu'il faut presque certainement identifier avec Jean de Lugio : « Hec omnia illos credere et intelligere comprehendi et intellexi ex verbis que dixit Iohannes de Pergamo, eorum predicator et doctor, qui et michi dixit quod iam xl annis catharus ex quo erant (!) [10] ». Dans Raynier l'hérésiarque est nommé Iohannes de Lugio Bergamensis.

Raynier a noté une citation du droit civil parmi les arguments d'autorité du grand traité composé par Jean de Lugio. On en relève également dans le recueil de Florence. Si Jean est l'auteur du *De duobus principiis* n'est-il pas permis de penser qu'il avait fait des études de droit dans une des universités italiennes, Bologne peut-être! D'autre part son argumentation suppose une formation dialectique et philosophique non négligeable; il n'ignore pas Aristote (?) ni le Livre des causes, et sans doute connaît-il d'assez près la théologie catholique contemporaine. Il inaugure sa scission doctrinale vers 1230.

Loin d'atténuer l'opposition avec l'église de Concorezzo, Jean de Lugio aggrave les dissidences; c'est plutôt vis à vis des doctrines

---

10 C. Douais, La Somme des autorités..., l. c., p. 121. Voir encore C. Molinier, Rapport à M. Le Ministre de l' Instruction publique sur une mission exécutée en Italie de février à avril 1885, dans Archives des missions scientifiques et littéraires, trois[e]. série, t. xiv (Paris 1888), p. 173.

catholiques qu'il mitige les positions cathares. Il accepte l'autorité de toutes les Écritures, reconnaît la mission divine des anciens prophètes et patriarches; Abraham, Isaac, Jacob, Jean Baptiste sont des envoyés du dieu bon. Par contre il maintient fermement le dualisme absolu: deux principes éternels, avec leurs créations propres, le monde supra-sensible du dieu bon, le monde corporel du principe mauvais. A travers Sacconi l'œuvre de Jean de Lugio apparaît comme un effort rationnel pour systématiser les croyances cathares en un corps cohérent, et tenter d'en rejeter les multiples contradictions qui donnaient une prise trop facile à la critique des polémistes catholiques.

Le traité des deux principes semble reproduire la partie proprement métaphysique de l'ouvrage de l'hérésiarque, où il exposait sa conception du monde. Aucune allusion n'est faite aux mythes par où les cathares expliquaient l'origine des choses, l'invasion du ciel par le principe mauvais, etc. On y établit seulement la nécessité d'affirmer deux principes absolus, nécessité rationnelle confirmée par l'autorité des Écritures.

Le livre des deux principes serait-il un fragment de l'ouvrage utilisé par Raynier, cette somme de dix cahiers où Jean de Lugio avait exposé son système? Une réponse affirmative n'est pas absolument exclue, mais elle est improbable, la divergence dans le détail des arguments est par trop évidente entre ce que nous savons de l'ouvrage connu de Sacconi et le *De duobus principiis*. Par contre il serait plus vraisemblable que notre traité, avec tous les éléments qui l'accompagnent, soit un résumé tiré du grand traité, ou mieux peut-être, un premier travail de Jean de Lugio. Quoiqu'il en soit et dans l'hypothèse la moins favorable, le recueil de Florence appartient à un théoricien de l'école du docteur de Bergame. Les preuves de cette conclusion sont multiples; en voici les principales.

L'auteur du *Compendium ad instructionem rudium,* le même que celui de tous les autres morceaux, confesse sa foi à l'église des *Albanenses,* celle des vrais chrétiens. Il utilise sans distinction les divers livres de l'Écriture sainte. Or, parmi les Cathares, et dans l'église de Desenzano elle-même, seule la fraction de Jean de Lugio accepte l'autorité de toute la bible. C'est une limitation qui, à notre connaissance, n'admet pas d'exception. A cette preuve s'ajoutent les parentés doctrinales avec le résumé de Sacconi. Négation de la toute puissance du dieu bon; le dieu bon n'a pas pu créer des êtres parfaits à cause

de l'opposition du principe mauvais; ce dernier donne à chacune des
créatures du dieu bon une puissance mauvaise, même au Christ (il
reconnaît que cette puissance fut liée dans le Christ); opposition avec
l'église de Concorezzo. Selon Raynier, Jean de Lugio enseigne trois
modes de créer à partir d'une réalité préexistante (ex praeiacenti
materia); la même doctrine est exposée par le *De duobus principiis*.
Reprenons la lettre de Raynier:

« Creare secundum eum est ex aliqua praeiacenti materia aliquid facere
et sic semper sumitur et non ex nihilo. Et distinguit creare tripliciter. Primo
de bono in melius, et secundum hanc distinctionem Christus fuit a patre
creatus sive factus... Secundo dicitur creare de malo in bonum... Tertio dicitur creare ex malo in peius facere... »

Le *De duobus principiis* dit de son côté:

« Creare vero vel facere per scripturas accipio tribus modis. Dico enim
creare vel facere quando aliquid additur per dominum deum verum super
essentias illorum qui valde boni erant, ipsos in salvandorum auxilio ordinando... Aliquando dicitur creare vel facere quando per ipsum deum aliquid
additur super essentias illorum qui mali effecti erant, ipsos in bonis operibus ordinando. Dico etiam creare vel facere, quando per ipsum deum
aliquid permittitur ei, qui penitus malus est, vel ministro illius, qui perficere
non potest quod desiderat nisi ipse bonus dominus dolositatem illius ad
tempus sustinuerit patienter ad honorem sui et dedecus illius nequissimi
eius hostis ».

Le parallélisme de ces éléments est une preuve suffisante pour
garantir l'identification proposée du milieu originel du traité.

Métaphysique du « De duobus principiis ».

De longs développements sur le contenu doctrinal de l'ouvrage
ne sont pas nécessaires; éclairée par le résumé complet du grand traité
de Jean de Lugio donné par Sacconi, la lecture est aisée. A défaut
de ce résumé des interprétations fausses seraient possibles; le lecteur
averti saura tenir compte des sous-entendus. Il ne faudra pas perdre
de vue quelques-unes des thèses générales de la doctrine cathare et
de plusieurs autres propres à Jean de Lugio. Ainsi la Trinité divine
est nommée par l'auteur comme elle le serait par un docteur catholique, et cependant le dogme chrétien a perdu tout sens orthodoxe;
le Fils et l'Esprit saint sont des émanations du Père, des créatures

d'un rang supérieur. Le Christ apparaît et parle comme il apparaît et parle dans un traité de théologie catholique, pourtant Jean de Lugio n'admet sa réalité que dans le monde supra-sensible. Les allusions à cet autre monde sont assez rares pour échapper à une lecture rapide, on ne peut pourtant douter que l'auteur fait sienne cette conception peu philosophique; son système serait dépourvu de sens s'il ne la comportait. Les citations bibliques sont faites sans distinction entre les livres de l'Ancien et du Nouveau testament, prophètes et livres historiques, mais Jean de Lugio ne reçoit tout le canon catholique des Écritures que parce que celles-ci furent écrites dans le monde supérieur; tous les faits bibliques bons sont faux s'ils sont entendus du monde dans lequel nous sommes, les faits mauvais se sont peut-être réalisés ici bas, mais alors ils sont rapportés dans les Saints livres comme des prophéties.

Le *De duobus principiis* est œuvre de théologien; la vérité rationnelle y est constamment confirmée par le témoignage de l'Écriture. Les autorités non bibliques ne sont pas totalement absentes, mais elles se réduisent à quelques cas.

Les thèses philosophiques mises en avant pour établir la nécessité d'affirmer deux principes absolus et pour réfuter les difficultés opposées par la critique sont peu nombreuses. Quelques-unes sont prises comme des axiomes reçus par tous les sages, telle la nécessité en dieu, ou bien l'impossibilité d'une puissance à être dans le même temps capable des actes contraires; cependant l'auteur développe volontiers son argumentation, en prouve longuement chacun des multiples éléments.

La difficulté qui oblige à poser deux principes tire son origine de l'expérience du mal, de son opposition irréductible au bien. Le traité ne s'écartera pas du problème posé par cette opposition. Il ne sera pas question du fini et de l'infini, du transitoire et de l'absolu, la métaphysique de l'auteur ne s'élève pas à une spéculation aussi abstraite. L'opposition du bien et du mal est une donnée plus immédiate, expérimentée jusqu'au plus intime de nous-mêmes. Quelle est la cause du mal? S'il n'y avait qu'un dieu et qu'il soit bon, rien de ce qui est ne serait mauvais. Or le mal est partout dans le monde! Il ne suffit pas d'attribuer à la créature le pouvoir de défaillir car, en dernier ressort, elle tiendrait ce triste pouvoir du créateur; ce serait encore rejeter sur dieu la responsabilité du mal. Il est donc un autre principe, cause de l'imperfection de la créature et du mal.

L'action de ce principe mauvais n'atteint pas seulement l'opération de l'être créé mais aussi celle du dieu bon lui-même, puisqu'elle s'oppose à la perfection de ses œuvres; le dieu bon n'est pas *tout puissant*.

Le principe mauvais est éternel. On ne peut concevoir en effet qu'il soit une créature du dieu bon; la bonté essentielle de celui-ci s'y oppose; parce que l'action divine est nécessaire ses œuvres sont nécessairement bonnes, conformes à sa nature. Le principe mauvais n'a donc pas de cause et est éternel.

La négation du libre arbitre divin s'impose au philosophe, seuls les simples et les ignorants, trompés par les apparences, peuvent croire à la liberté d'action des êtres. Par sa science divine le principe bon connaît toutes choses éternellement; il ne peut pas se faire que ce qu'il connaît n'ait pas été, ou bien n'est pas ou bien ne sera jamais dans le futur. Dans ce cas en effet sa science serait erronée, ce qui ne peut se dire de la connaissance du dieu bon. Par là est manifestée la nécessité absolue de toutes choses, soit en dieu soit dans les créatures, car les actions de celles-ci sont objet de la science divine.

D'ailleurs la notion même de libre arbitre est une absurdité pour le sage. Comment peut-on affirmer qu'une puissance est à la fois indifférente aux contraires, qu'elle est capable de l'un et l'autre dans le même temps? Aucun être n'est à la fois et en même temps en puissance au bien et au mal; il est en puissance à l'un ou à l'autre. C'est une fausse apparence, une vue inférieure des choses qui permet de tomber dans cette conception erronée d'une puissance libre. Parce que je ne sais pas aujourd'hui si Pierre sera encore vivant demain, je dis qu'il sera vivant ou mort, qu'il est en puissance à être vivant ou mort. En réalité il sera dans un seul de ces états. Si c'est la mort? Pierre n'est pas aujourd'hui en puissance à vivre demain; s'il est encore vivant demain? c'est qu'il n'est pas en puissance à mourir demain. Il n'y a de puissance que de ce qui se réalise; un pouvoir qui ne passerait pas à l'acte n'est absolument pas. Évidemment une telle philosophie de la puissance sape les fondements de toute contingence et de toute liberté. L'auteur joue avec des notions de méthaphysique aristotélicienne mal comprises.

Le *De duobus principiis* revient sans cesse sur ces quelques idées, il en fait l'armature rationnelle de toute son argumentation. Tout d'abord il s'en dégage une forte impression de rigueur, mais après quelques pages sa pauvreté réelle transparaît, la lecture devient insupportable.

A la fin de cette première partie du traité notre anonyme s'arrête à discuter l'opinion d'un certain ' Magister Guillelmus ', selon lequel la chute des anges ne peut être imputée à dieu parce qu'il n'a pas pu créer ceux-ci absolument parfaits. La puissance divine ne pouvait faire que les anges lui soient parfaitement semblables; ils ont donc pu désirer (concupiscere) de l'égaler en beauté et en puissance. Cette argumentation paraît partiellement inspirée de la théologie catholique, pour laquelle le péché de l'ange fut un désir déréglé de devenir semblable à Dieu (par exemple dans s. Thomas d'Aquin Somme théologique I 63 3, où est invoquée la même autorité d'Isaïe que dans le traité cathare « ascendam in caelum et ero similis altissimo »). Mais les docteurs catholiques n'ont jamais songé à imputer à Dieu de n'avoir pu créer les anges semblables à lui et dans un état de perfection tel qu'ils n'aient pu désirer cette similitude. L'impossibilité de cette perfection n'est pas de Dieu, mais procède de l'essence de l'être créé; c'est une impossibilité absolue. Maître Guillaume argumente donc à partir de la conception cathare d'un dieu non tout-puissant. Sa doctrine sur la chute des anges implique son adhésion au dualisme mitigé, car les dualistes absolus n'admettent pas la chute des anges bons; il y a dès le commencement, c'est à dire de toute éternité, des anges du principe bon et des anges du principe mauvais.

La courtoisie de l'auteur devant l'autorité de ce maître Guillaume laisse entendre qu'il était un personnage assez considérable dans le milieu cathare. Serait-il par hasard cet ancien chanoine de Nevers, Guillaume, passé à l'hérésie et réfugié sous le nom de Thierry sur les terres du comté de Toulouse en 1201? Pierre de Vaux-Cernay dit de lui qu'il était un docteur fameux parmi les hérétiques. La croisade contre les Albigeois ne l'aurait-elle pas obligé à gagner la Lombardie? Schmidt a pensé que Thierry (Theodoricus) était le Tetricus adversaire de Monéta de Crémone [11]. L'identification n'est pas invraisemblable; elle expliquerait les réminiscences d'une théologie catholique qu'on devine à travers la théorie du maître Guillaume de notre traité.

La réfutation présentée par l'auteur du De duobus principiis nous ramène très vite aux idées fondamentales de son système philosophique,

11 Petrus de Vallibus-Cernaii, *Historia Albigensium* (éd. Duchesne, Script. hist. Franc., t. V, p. 558). – Schmidt, Histoire et doctrine…, t. 2, p. 1. – *Tetricus*, dans *Moneta, Adversus Catharos et Valdenses* (ed. Ricchinius, Romae 1743, p. 71, 79).

nécessité en toutes choses, négation du libre arbitre, imputabilité du péché à une cause première, etc.

Le traité de la création, si inattendu par sa conception originale sinon philosophique, ranime l'intérêt. Notre notion commune de création est complètement bouleversée. Toutes choses sont co-éternelles aux principes, comme les rayons du soleil existent en même temps que lui. La création donnera seulement une nouvelle manière d'être à ce qui était déjà. On a vu plus haut les trois modes de cette création : faire passer un être bon à un état meilleur, transformer un être mauvais en un être bon, aggraver l'état d'un être mauvais.

Comme toutes choses les hommes ont toujours existé, mais dans le monde supérieur. La création ne les fait passer ici bas que pour une nouvelle manière d'être. La terre apparaît comme un lieu de punition où les âmes doivent expier les fautes commises dans le monde supra-sensible; elles y sont soumises au pouvoir du principe mauvais et de ses ministres. La fin du monde matériel séparera définitivement le bien et le mal et chacun retournera à son dieu. Le traité enseigne donc un dualisme absolu; les principes, leurs créatures, sont éternellement opposés. L'état présent, où le bien et le mal sont mélangés, où les bons eux-mêmes souffrent du mal est passager; l'opposition radicale des deux règnes se réalisera de nouveau.

Le développement de l'argumentation, les solutions aux objections sont d'un esprit poussant à l'extrême les conséquences des axiomes posés et non d'une intelligence aux vues larges, qui embrasse d'un seul regard les multiples interférences des conclusions les plus universelles, et sait respecter la souplesse des lois qui s'imposent au raisonnement dans la démarche de l'esprit vers la vérité.

La troisième partie du traité, *De signis universalibus*, s'arrête à l'interprétation des textes scripturaires où les auteurs sacrés rapportent à dieu la création de toutes choses, et en général, aux passages où sont employés des formules universelles : *omnia, universa, cuncta* [12].

L'argumentation proprement théologique est plus pauvre encore que le raisonnement philosophique; elle se réduit à une accumulation

---

12 L'importance de ces *signes universels* n'est pas ignorée des controversistes. Voir par exemple la *Summa contra haereticos*, du ms. de Toulouse 379 (fol. 76 b), éd. Douais, La Somme des autorités..., l. c., p. 67 : Omnia per ipsum facta sunt et sine ipso factum est nichil. Cum dicit *omnia*, nichil infactum relinquit, cum sit signum universale.

de textes scripturaires. Le procédé est le même que dans les réfutations catholiques. On propose la vérité à prouver, ou bien l'erreur à réfuter, et on la fait suivre d'une chaîne d'autorités en faveur du parti adopté. Très rarement le traité s'écartera de cette manière de faire; les derniers fragments ne comportent même plus une amorce d'argumentation rationnelle. Ce procédé est celui qui eut le plus de succès chez les polémistes catholiques, deux ou trois seulement feront des réfutations en forme. Il est permis de demander s'ils n'ont pas adopté cette méthode à la suite des Cathares; ils prenaient les mêmes moyens que leurs adversaires. Le geste de s. Dominique envoyant ses premiers disciples aux Universités pour y étudier l'Écriture et la théologie s'explique par ces raisons: les prêcheurs en pays cathare devaient s'instruire pour n'être pas tenus en échec par leurs contradicteurs, subtils interprêtes des Livres saints.

Ce n'est pas le lieu de s'arrêter à l'examen de l'exégèse des autorités bibliques proposée par l'auteur du traité; comme celle de tout théologien elle s'appuie sur une foi. On peut remarquer cependant qu'elle fait totalement abstraction d'une tradition écrite. Dans le seul cas du Consolamentum il sera fait allusion à la continuité de sa transmission depuis l'antiquité chrétienne. Cette absence de tout argument traditionnel avait déjà été constaté par les inquisiteurs médiévaux et les polémistes. C'est là une des plus grandes faiblesses de l'exégèse cathare. Si depuis la plus haute antiquité chrétienne les générations se sont transmises le baptême de l'esprit et une foi, l'un ne va pas sans l'autre, comment n'ont-elles pas conservé une tradition théologique? pourquoi ces générations n'apportent-elles pas le témoignage de leur intelligence des Écritures? Les Cathares ne pouvaient pas ignorer la valeur de l'argument de tradition en faveur de l'interprétation catholique.

On a dit qu'ils devançaient ici le protestantisme et le libre examen, seule l'interprétation individuelle et rationnelle aurait été leur règle. Les faits semblent contraires à ce jugement. Les controverses entre les différentes formes du catharisme n'auraient pas provoqué les scissions que l'on sait si chaque fidèle avait eu le droit de croire et de rejeter les articles de la foi à volonté. Avant de recevoir le consolamentum il fallait faire vœu d'obéissance à l'église et à ses ministres; la solennité de la promesse ne permet pas de conclure à une liberté de pensée analogue à celle des temps plus modernes. Faudrait-il rappeler et mettre en valeur la rubrique qui achève le *De duobus principiis*? « Non omnium que a maioribus constituta sunt racio reddi potest, alioquin multa ex his que dicta sunt subvertentur ». C'est la négation du libre examen dans un recueil entièrement cathare.

On aurait espéré qu'un ouvrage sorti d'une plume néo-manichéenne permettrait quelque vue nouvelle ou bien plus précise sur les origines historiques de ce courant philosophique et religieux, l'espoir est déçu. Rien, absolument, ne trahit une influence antérieure qui ne soit déjà connue. Les Cathares du treizième siècle en savaient-ils plus que nous sur ce point? il est permis d'en douter.

Le Compendium « ad instructionem rudium ».

Malgré le changement d'écriture au début de cette seconde partie du *De duobus principiis* on ne peut douter de son rattachement à la première partie de l'œuvre. Dès le début nous pouvons lire: « De creatione autem celi et terre et maris, de quibus superius ostensum est... ». C'est le rappel du traité de la création.

Dans ce chapitre on avait exposé la théorie philosophique, dans le *Compendium* on va prouver par la création réalisée qu'il faut encore affirmer nécessairement deux principes différents. Les œuvres du dieu mauvais seront le thème principal de la discussion.

Le *Compendium* est peut-être la meilleure partie de l'ouvrage du point de vue de la construction et de l'argumentation; ce devait être aussi la plus convaincante pour les esprits peu accessibles à la spéculation proprement philosophique. Le procédé est le même que précédemment mais plus sobre; si les arguments d'autorité demeurent nombreux, ils sont habilement divisés en paragraphes assez courts, permettant de suivre sans difficulté la démarche de la pensée. Il n'y a pas lieu de s'arrêter ici au *Compendium*, ce serait reprendre ce que nous venons de dire pour le *De duobus principiis*.

Polémique contre les « Garatenses ».

« Cathari Albanenses damnant et Concorrezenses et e converso ». Cette phrase laconique de Raynier constate la scission principale qui divise les Cathares d'Italie et les polémiques soulevées par l'oppo-

sition des doctrines. D'autres échos de ces luttes intestines nous sont
parvenus par divers documents contemporains, notamment par la réfutation catholique de Salvi Burce *Supra Stella,* composée en 1235.
Cet ouvrage est dirigé en premier lieu « contra catharos qui appellantur
Albanenses et Concorricii, qui inter se valde discrepant, videlicet quia
unus alterum ad mortem condemnat [13] ». Le schisme avait pour raison
l'abandon par l'église de Concorezzo de la thèse des deux principes
incréés. Longtemps les antagonistes avaient tenté de rétablir l'unité
de leur foi, mais sans succès. Salvi Burce écrit à ce propos : « Manifestum est quod Albanenses et Concorricii plurimis convenerunt in
unum et consilia plurima fecerunt tractando quomodo possent in unam
fidem convenire, volentes tam Albanenses quam Concorricii obmittere
de eo quod predicant, propter credentes eorum, tam Albanensium quam
Concorriciorum, qui inter se scandalizabantur ex eorum predicatione.
Et propter hoc, ut reducerentur ad unam fidem, multum de temporalibus
rebus consumserunt in diversis et multis itineribus, euntes huc atque
illuc, vagantes per orbem... Et licet multoties, sicut diximus, sunt congregati ad invicem, pacem reperire non potuerunt [14] ».

Le nom de *Garatenses* donné par les disputes de notre manuscrit
aux fidèles de l'église de Concorezzo ne paraît guère chez les auteurs
catholiques; on le trouve cependant utilisé dans plusieurs documents
de la première moitié du XIIIᵉ siècle, notamment dans une des Constitu-
tions de Frédéric II contre les Patarins et les autres hérétiques de l'empire [15].

Dans son *Histoire et doctrine des Cathares* Schmidt semble avoir
mal compris l'origine de cette appellation, il donne la forme *Garatenses*
comme une variante de *Concorenses.* Percin, dans ses ' *Monumenta
conventus Tolosani ordinis praedicatorum* ', la fait dériver de *Carrazo.*
Nous n'avons pu relever ce nom dans les documents où il est question
de l'église de Concorezzo. Il paraît plus vraisemblable que *Garatenses*
vient du nom d'un des premiers chefs des dualistes mitigés italiens,
peut-être le fondateur de l'église de Concorezzo, l'évêque Garathus.

13 Salvi Burce, *Supra Stella* (ms. *Firenze, Laurenz. Mugell. de nem., cod.* XII
fol. 3 ra); dans les fragments édités par Döllinger, *Beiträge zur Sektengeschichte des
Mittelalters,* t. 2 Dokumente (*München* 1890) p. 53.

14 Salvi Burce, l. c.; éd. Döllinger, l. c., pp. 53-54.

15 Constitution de Crémone, 14 mai 1238, dans *Monumenta Germaniae Historica,
Legum sectio* IV, *Constitutiones,* t. 2 (*Hannoverae* 1896) p. 284.

Vignier avait déjà fait mention de ce personnage: « Garatus estoit en la Lombardie de l'ordre de Bulgarie » [16]. C'est une information analogue que nous relevons chez un polémiste catholique du début du XIIIe siècle: « Garactus episcopus ordinatus de Burgaria ». Salvi Burce apostrophe également le chef des *Concorenses* sous la forme « Tu Garatho » [17].

Nous ne possédions pas encore de document original sur la polémique entre les deux factions cathares d'Italie; le recueil en apporte trois, deux disputes et un défi adressé à un des chefs *Garatenses* en vue d'une conférence contradictoire.

Il n'est pas possible de résoudre d'une manière certaine l'abréviation du nom de ce chef donnée par le manuscrit « Alb ». Faut-il lire *Albertus* ou bien *Albanus*? ces noms étaient des plus communs dans l'Italie médiévale; il s'en trouve plusieurs dans les registres de l'inquisition concernant l'église de Bagnolo.

L'auteur de l'invitation au conciliabule nomme encore un certain Pierre de Ferrare qui n'est pas autrement connu. Il suffit d'enregistrer ces noms en attendant que d'autres documents permettent d'apporter quelque lumière sur ces chefs hérétiques.

Les deux disputes paraissent tirées d'une documentation plus abondante que celle conservée par le manuscrit; la première débute par ces mots: « Oppositionem aliam contra Garatenses scribere cogitavi ». Un premier document aura été omis. Le fait ne doit pas étonner puisque nous avons vu en décrivant le manuscrit que cette partie avait été composée en plusieurs étapes. L'écriture change de main entre les deux disputes; la dernière aura été recueillie alors que la première était déjà consignée dans le manuscrit.

Quelques mots sur la nature du schisme doctrinal qui oppose les antagoniste aideront à suivre l'argumentation.

Le dualisme absolu rapporte toute la création sensible au principe mauvais, tandis que le dualisme mitigé admet un dieu unique, créateur du principe mauvais et des quatre éléments, air, feu, eau et terre. Le principe mauvais, Lucifer, est un ange supérieur déchu; il obtint la permission d'établir son règne dans le monde sensible informe créé

---

16 N. Vignier, Recueil de l'Histoire de l'Église (*Leyden* 1601), p. 268.
17 Ms. Paris Nat. Lat. 14927 (*Summa contra haereticos*) fol. 8 vb. – Salvi Burce, *Supra Stella*, l. c., fol. 116 va; Döllinger, l. c. p. 59.

par Dieu, et de l'ordonner à sa guise. C'est lui l'auteur de la distinction des choses, des espèces, des sexes, etc. Toutes les réalités sensibles sont mauvaises, sinon dans leur substance primordiale du moins dans leur être distinct. Tout l'Ancien testament, faits et doctrines, est également l'œuvre du démon; les dualistes mitigés le rejettent à l'exception des livres sapientiaux et des prophètes. Il semble, d'après Raynier, que les cathares de Concorezzo refusaient encore ces derniers livres, il ne fait de réserve que pour les seuls textes cités dans le Nouveau testament: « Reprobant totum Vetus testamentum, putantes quod diabolus fuit auctor eius, exceptis illis tantummodo verbis quae sunt inducta in Novo testamento per Christum et Apostolum, sicut illud ' Ecce virgo concipiet ' et cetera similia ». Par contre les dualistes absolus de Jean de Lugio acceptaient toute la Bible, avec la réserve que l'on sait: écrite dans le monde supérieur elle rapporte les faits et gestes de ce monde.

Pour tous les cathares, semble-t-il, les âmes viennent du dieu bon, mais pour les uns elles furent créées de toute éternité et tombèrent dans la matière en une seule fois; elles y demeureront jusqu'à l'expiation complète de leurs péchés commis dans le monde supérieur; elles passent d'un corps à l'autre en attendant la libération totale. Pour les autres (dualistes mitigés) il y eut une première âme, un ange légèrement coupable et enfermé dans la matière en punition temporaire de sa défaillance; ce fut le premier homme. Les autres âmes naissent de lui par voie de génération.

Le vie terrestre est un état de punition; les âmes souillées, enchaînées dans la matière doivent tendre au retour à dieu par le détachement de cette entrave. Le principe mauvais (dualisme absolu), ou bien le démon (dualisme mitigé) fait opposition à ce retour pour tenir en échec l'œuvre du dieu bon et perpétuer son propre règne en ce monde qui est sien. Son principal moyen est d'engager toujours plus les âmes dans la matière, en tout cas de ne pas les laisser se libérer; il pousse les hommes aux plaisirs sensibles, surtout aux plus violents, ceux qui dégradent le cœur et lui font oublier le bien.

De ces quelques conceptions philosophiques découlent des conclusions d'ordre moral pratique. Puisque le monde matériel est mauvais il n'en faut pas user, sinon dans la mesure strictement nécessaire pour la vie. Le cathare s'abstiendra des mets les plus *matériels*, les plus impurs; les aliments carnés, les œufs, le lait, le fromage, et d'une manière générale tout ce qui provient de l'union des sexes, car c'est le mode de production des choses le plus diabolique, lui sont rigoureusement interdits. Il devra pratiquer des jeûnes fréquents et prolongés (les cathares avaient trois carêmes chaque année), il s'abstiendra des liqueurs, du vin. Le cathare ne possédera aucun bien matériel, ils attacheraient son âme au monde mauvais; il subsistera d'aumônes. La procréation lui est défendue et tout acte dégradant. Cette condamnation générale est impérieusement commandée par le système, les plaisirs sensibles enchaînent toujours plus l'âme dans les liens du principe mauvais, puisqu'ils la détournent des biens supérieurs. La procréation fait le jeu de l'ennemi, puisqu'elle multiplie le nombre des âmes enchaînées dans la matière (dualisme mitigé) et perpétue le temps de leur pénitence (dualisme absolu). L'état de mariage est le plus violemment condamné, puisqu'il est précisément ordonné à procurer les conditions les plus favorables à la perpétuité de la race humaine.

Ces quelques principes de la philosophie et de la morale cathare rappelés, la lecture des disputes contre les *Garatenses* deviendra facile.

L'auteur, plus polémiste que philosophe, accule ses adversaires par une série de distinctions habiles et ridiculise la faiblesse de leur doctrine. La première dispute, dans l'ordre du manuscrit, argumente particulièrement sur l'autorité des Écritures; la seconde conduit les *Garatenses* au dilemme suivant: Ou bien il n'y a qu'un dieu, bon, et il est l'auteur de la création: celle-ci est bonne? alors les *Garatenses* ne devraient pas la condamner: qu'ils se marient, qu'ils engendrent des âmes pour ce dieu bon; qu'ils usent de tous les aliments, puisque rien n'est mauvais qui vient du dieu bon! Ou bien la création est mauvaise, et alors son principe est mauvais? dans ce cas il faut adopter le dualisme absolu.

L'auteur est satisfait de son argumentation, il achève ses oppositions par ce trait: « Capti sunt in suis sermonibus Garatenses »! Il aurait été intéressant de savoir la réponse des dualistes mitigés; leur position était plus difficile que celle de leur critique.

Les autres pièces du recueil ont plutôt l'allure de fragments indépendants que la suite logique d'une même œuvre, encore qu'elles appartiennent par leur objet au même ordre de choses. Le *De ignorantia multorum* et le *De sententia* s'enchaînent idéologiquement. Le premier revient sur la question du libre arbitre déjà longuement traitée dans le *De duobus principiis;* le second rejette la possibilité du jugement futur.

Les fragments *De persecutionibus,* édités ici à la suite les uns des autres, sont séparés dans le manuscrit par le fragment de rituel. Ils ont pour objet de soutenir les fidèles dans la persécution. La tenue religieuse et morale de ces fragments est élevée : les bons chrétiens doivent supporter les persécutions à l'exemple du Christ, prier pour leurs ennemis et leur faire le bien. Par là ils accompliront les Saintes écritures pour leur bien et honneur, à la confusion des méchants. Ces derniers remplissent la mesure de leurs iniquités avant de revenir au bien.

Le système de Jean de Lugio.

Le résumé trop succint de Sacconi et les sous-entendus du *De duobus principiis* pourraient laisser quelques difficultés sur la cohérence du système inventé par Jean de Lugio. L'affirmation de l'opposition absolue et éternelle des deux règnes bons et mauvais et la théorie de la création, où nous voyons la possibilité pour des êtres mauvais de recevoir une nouvelle manière d'être par laquelle ils deviennent bons et changent apparemment de règne, pourraient paraître contradictoires. Il n'est peut-être pas inutile de donner une idée générale de ce système.

Jean de Lugio se propose de construire une œuvre capable de rendre raison de la croyance cathare, capable aussi de donner réponse aux difficultés soulevées par la critique. Au point de départ deux postulats s'imposent à l'hérésiarque, qui lui sont donnés par sa croyance : opposition éternelle et radicale du bien et du mal, doctrine du salut universel des âmes.

L'opposition du bien et du mal entraîne l'affirmation de deux principes; la raison tire par déduction les propriétés de ces principes : éternité, négation de la toute puissance du dieu bon, action négative du principe mauvais sur son activité, négation du libre arbitre, etc. Entre les deux règnes se place l'homme; c'est lui qu'il faut expliquer. Si quelques sectes cathares ont pensé qu'il y avait une catégorie d'hommes essentiellement mauvais, dont les âmes étaient créées par le principe du mal, telle n'est pas la croyance commune des cathares et en parti-

culier celle de Jean de Lugio. Les âmes sont des créatures du dieu bon
et elles doivent toutes lui faire retour. Comment sont-elles maintenant
prisonnières du principe mauvais? Comment feront-elles retour à dieu?
L'âme ne peut être livrée temporairement au mal qu'en punition
d'une faute commise, le dieu bon n'a pu permettre ces liens matériels
sans une raison pour les justifier. La faute est antérieure à la punition.
C'est donc avant son apparition ici-bas que l'âme a défailli. Voici
apparaître la thèse d'un monde autre que le nôtre où l'âme a péché. La
terre est le lieu de sa punition, l'enfer, où elle est livrée temporairement
au pouvoir du principe mauvais. Le réalisme biblique de Jean de Lugio
entend l'Écriture et tout ce qui y est rapporté de ce monde supérieur
où déjà s'est faite la rencontre du bien et du mal. Sur notre terre se
fait l'œuvre de pénitence.

La doctrine de la création est imaginée pour rendre raison de cette
œuvre. Les trois modes de créer doivent se comprendre en un sens
précis et limité; le premier s'applique au Christ et aux bons anges,
députés par dieu pour aider les âmes à se libérer du mal, êtres essentiellement bons et qui n'ont pas failli, ordonnés à un bien supérieur; le
second s'entend de la transformation des âmes: devenues mauvaises
par leur chute elles sont ramenées au bien et au règne du dieu bon par
la libération progressive de leur prison matérielle; la troisième est simplement la permission accordée au principe mauvais et à ses ministres
les anges mauvais, ses créatures, d'exercer une contrainte temporaire
sur les âmes.

La terre est donc l'enfer, où règne le principe mauvais. Tous les
esprits célestes déchus dans le monde supérieur ont été liés en une
seule fois dans la matière par une permission punitive du dieu bon. Le
retour définitif au monde supérieur se réalisera quand ces esprits (les
âmes) auront fait pénitence et se seront libérés des entraves du monde
sensible. Le Christ a satisfait pour leurs péchés dans le monde supérieur, où il a souffert la passion; il est descendu aux enfers, notre
monde sensible, pour faire connaître la vérité aux hommes et leur en-
seigner la voie de libération, les replacer sur le chemin du règne bon.

Sur la terre l'œuvre de retour est lente; il est des âmes qui sont
déjà libres, celles qui ont reçu le baptême cathare de l'imposition des
mains, les autres sont encore dans le mal et mettent le comble à la
mesure de leurs iniquités avant de se convertir au bien. Elles passent
d'un corps à l'autre aussi longtemps que leur pénitence n'est pas ache-

vée. Le retour à dieu de l'universalité des créatures bonnes sera la fin du règne du principe mauvais sur elles, et de nouveau les deux règnes seront séparés sans mélange.

Telle est dans ses grandes lignes la construction de Jean de Lugio. Elle ne manque pas de cohérence, mais elle laisse intact le problème du mal et de sa pénétration dans le bien. Pour ne pas avoir à en rendre raison, Jean de Lugio a reporté la difficulté au monde supérieur.

LE RITUEL CATHARE

L'importance du « Consolamentum » dans la vie religieuse des Cathares est bien soulignée par la place centrale qu'il occupe dans ce qu'on est en droit de nommer la liturgie cathare. Le culte public était presque inexistant; quelques assemblées de prières dans des lieux non spécialement consacrés où les fidèles, simples croyants et baptisés, participaient à la récitation en commun de l'Oraison dominicale, confessaient publiquement et d'une manière générale leurs fautes et en recevaient l'absolution par les ministres, entendaient les sermons et les instructions morales, prenaient part au repas rituel, en constituaient tous les éléments. C'est au cours de ces assemblées que s'insérait la cérémonie de la consolation, et alors la réunion prenait un éclat exceptionnel.

Les Cathares ne connaissaient qu'une seule prière, l'Oraison dominicale. Pour la réciter il fallait être initié à leur église; les catholiques récitant le Notre Père étaient comme des moutons bêlant, ils ne savaient pas prier.

L'initiation comportait deux étapes : la première, l'imposition ou tradition du livre des évangiles, leur conférait le pouvoir et l'obligation de réciter l'Oraison dominicale; elle était le rite par où le nouveau croyant était agrégé à l'église. La seconde, l'imposition des mains, était le vrai baptême, le consolamentum proprement dit; elle transformait le fidèle en membre parfait de l'église. Le plus souvent ces deux étapes de l'initiation étaient séparées dans le temps.

Jusqu'au XIXᵉ siècle notre connaissance des rites du culte cathare fut tributaire des seules sources catholiques; la découverte d'un rituel en langue romane du milieu du XIIIᵉ siècle qui avait appartenu aux Albigeois (manuscrit de Lyon)[18] a marqué un progrès considérable de

---

18 Ms. du Palais des Arts de Lyon, n. 36. Le rituel a été édité une première fois par E. Cunitz, *Ein Katharisches Rituale, Beiträge zu den theologischen Wissenschaften*, t. IV (*Iena* 1852). L. Clédat a reproduit en photolithographie le ms. de Lyon et donné l'édition du texte du rituel avec une transcription française en parallèle : Le nouveau Testament traduit au XIIIᵉ siècle en langue provençale suivi d' un rituel Cathare (Paris 1887). La reproduction du rituel est aux pages 470 a-482 b de Clédat, l'édition du texte aux pages VI-XXVI.

cette connaissance. La comparaison de ses cérémonies avec celles des anciens monuments de la liturgie catholique a révélé l'origine chrétienne du culte cathare, et plus spécialement de ses rites de la tradition de l'oraison et du consolamentum; c'est dire l'intérêt de la découverte du fragment du rituel latin cathare de Florence.

Beaucoup plus réduit que le rituel romain, le rituel cathare est en grande partie consacré aux deux phases de l'initiation, les autres pratiques y ont une part de moindre importance. On en jugera par l'étendue de chacun des éléments dont est composé le rituel albigeois en langue romane:

1) Prières et formules latines les plus usitées dans les cérémonies ordinaires du culte: formule de l'adoration, Notre Père, Évangile de s. Jean I, 1-17 (pag. 470a-471a).

2) Prières de la pénitence ou « servicium », (pag. 471-473a).

3) Cérémonie de la tradition du livre des évangiles et de l'Oraison dominicale (pag. 473a-475b).

4) Le « Consolamentum » (pag. 475b-479b).

5) Règles pour la récitation des prières usuelles (la *double*) (pag. 479b-480a).

6) Cérémonies de l'initiation abrégée pour les malades (pag. 480a-482b).

Le fragment du rituel latin de Florence contient seulement en partie la cérémonie de la tradition du livre (n. 3 du rituel roman) et le consolamentum (n. 4), c'est à dire la partie centrale du rituel cathare. La découverte de ce fragment apporte la preuve de l'existence d'une liturgie cathare latine ignorée jusqu'à ce jour. S'il est vrai que ses rites se rattachent aux pratiques sacramentelles de l'Église des premiers siècles, le nouveau document aura une valeur considérable [19] Il est permis de penser en effet que la forme latine des rites cathares est antérieure à la forme en langue vulgaire, elle serait un témoin plus ancien de leur origine chrétienne. La comparaison du contenu de chacun des deux rituels montrera qu'il en est bien ainsi et que le rituel roman est une sorte d'abrégé du rituel latin.

---

19 J. Guiraud, Histoire de l'Inquisition au moyen âge, t. 1 (Paris 1935) ch. 4, pp. 107–142, a longuement insisté sur les ressemblances des cérémonies de l'initiation cathare et celles de l'initiation des catéchumènes, du Baptême et de l'Ordre, dans l'église primitive.

Les éditions du rituel roman sont difficilement accessibles à beaucoup de lecteurs; nous reproduirons ses éléments essentiels en regard des passages parallèles du rituel de Florence afin de permettre une étude comparative de ces pièces. Mais tout d'abord disons quelques mots des deux cérémonies.

La tradition du livre commençait par une admonition solennelle au récipiendaire; le rituel laisse la liberté d'inspiration à l'orateur, il lui propose un discours comme modèle avec les grandes lignes des thèmes qu'il devra développer. Dans les deux rituels ce discours est différent mais les idées générales sont les mêmes, plusieurs fois le parallélisme est littéral. Le rite proprement dit de la tradition du livre est d'une grande simplicité. Présenté par un chrétien responsable, une sorte de parrain, le croyant recevait le livre et s'engageait à réciter l'Oraison dans toutes les circonstances prévues par le rituel. Avant de quitter l'assemblée il faisait son *melioramentum* [20].

Si le nouvel initié était suffisamment préparé on lui administrait séance tenante le consolamentum, cérémonie également très sobre et de belle tenue religieuse. Elle débutait par une allocution analogue à celle du rite précédent, puis le ministre plaçait le livre des évangiles sur la tête du croyant et chacun des assistants déjà consolés venait lui imposer la main droite; le maître de cérémonie, « celui qui guide le service » dit le rituel roman, lisait le Prologue de l'évangile de s. Jean dans le texte latin. On récitait plusieurs fois l'Oraison dominicale accompagnée de formules d'adoration; avant de se séparer les assistants et le nouveau fidèle se donnaient le baiser de paix et recevaient une pénitence liturgique, le « servicium ».

Il y a donc lieu de distinguer dans ces deux cérémonies les discours préliminaires et les rites liturgiques proprement dits; la comparaison des textes roman et latin portera seulement sur les rites. Le texte roman est pris à l'édition de L. Clédat (voir p. 34) mais nous y avons apporté quelques corrections d'après le manuscrit reproduit photographiquement. Les chiffres des références reportent aux pages du manuscrit d'après la numération adoptée par Clédat. Le texte roman est intégralement reproduit, à l'exception des deux discours.

---

20 C'est à dire demandait la bénédiction du ministre selon une formule rituelle accompagnée d'inclinations ou de génuflexions.

Tradition de l'Oraison dominicale.

Rituel roman.

(page 473a-475b)

Si crezent esta en l'astenencia, e li crestia so acordant que li liuro la oracio, lavo se las mas, e crezent si n'i a, eissament. E puis la us dels bos homes, aquel que es apres l'ancia fasza tres reverencias a l'ancia, e puis aparele un desc, e puis autras tres, e meta tovala sobrel desc, e puis autras tres, e meta le libre sobre la tovala. E puis diga: Benedicite parcite nobis. E puis le crezent fasza so meloier, e prenga le libre de la ma de l'ancia. E l'ancia deu lo amonestar, e prezicar ab testimonis covinentz. E sil crezent a nom Peire, diga enaissi: En Peire...

(Ici suit le discours préliminaire à la tradition de l'Oraison dominicale).

E per aquestas razos, e per moutas d'autras, es donant az entendre quar lo sanh paire vol merceneiar del seu pople, e recebre lui a patz e a la sua concordia, per l'aveniment del seu fil Jesu Christ. Don es aquesta l'ocaizo quar esz aici denant los decipols de Jesu Christ, el qual loc abita esperitalment lo paire el fil el sant esperit, aissi co desus es demostrat, que vos deiatz recebre aicela sancta oracio, la qual donec lo senhor Jesu Christ a sos decipols, enaissi que las vostras oracios e las vostras pregueiras sian eissauzidas del nostre Sanh paire.

Rituel latin.

(fol. 37r-39v)

(Le fragment du rituel latin commence vers la fin du discours parallèle).

Et sic pro istis rationibus et aliis multis, datur intelligi quod pater sanctus vult sui populi misereri, et recipere eum ad pacem et concordium illius per adventum filii eius Ihesu Christi. Unde hec est causa quare hic estis coram discipulis Ihesu Christi, ubi pater et filius et spiritus sanctus spiritualiter habitat, sicut superius hostensum est, ut illam orationem sanctam recipere valeatis, quam suis discipulis tribuit dominus Ihesus Christus, ita ut deprecationes et orationes vestre exaudiantur a sanctissimo nostro patre, sicut David ait: Dirigatur oratio mea sicut incensum in conspectu tuo.

Per laqual causa devetz entendre, si aquesta sancta oracio voletz recebre, quar cove vos pentir de totz les vostres pecatz e perdonar a totz homes. Quar lo nostre senhor Jesu Christ dix: Si no perdonaretz als homes li pecat de lor, nil vostre paire celestial no perdonara a vos los vostre pecatz. De rescaps se cove que perpausetz e vostre cor de gardar aquesta sancta oratio totz les temps de la vostra vida, si deus donara a vos gracia de recebre ela, segon la costuma de la gleisa de deu, ab castetat, et ab veritat, et ab totas bonas austras vertutz las quals deus volra donar a vos. Per la qual causa pregam le bo senhor, lo qual donec vertut de recebre aquesta sancta oracio als decipols de Iesu Christ ab fermetat, que el mezeis deone a vos gracia de recebre ela, ab fermetat et a onor de lui e de la vostra salvatio. Parcite nobis.

(Ici le rituel latin insère une exposition littérale de l'Oraison dominicale, puis il continue):

Unde debetis intelligere, si hanc orationem recipere vultis, quia oportet vos peniteri de omnibus peccatis vestris, et dimittere omnibus hominibus, quia in evangelio Christus ait: Nisi dimiseritis hominibus peccata eorum, nec pater vester celestis dimittet vobis peccata vestra. Item oportet ut preponatis in corde vestro observare istam sanctam orationem toto tempore vite vestre, si deus recipiendi gratiam vobis tribuerit, secundum consuetudinem ecclesie dei, cum obedientia et castitate et omnibus aliis virtutibus bonis, quas deus vobis tribuere voluerit. Unde rogamus bonum dominum, qui virtutem recipiendi hanc orationem tribuit discipulis Ihesu Christi cum firmitate, quod ipse tribuat vobis vim recipiendi illam cum firmitate, ad onorem illius et ad salutem vestram. Parcite nobis.

Tunc ordinatus accipiat librum de manibus credentis et dicat: Iohannes, si sic vocatur nomen eius, habetis voluntatem recipiendi istam sanctam orationem sicut memoratum est et retinere illam toto tempore vite vestre cum castitate et veritate et humilitate et cum omnibus aliis virtutibus bonis, quas deus vobis tribuere voluerit? Et credens respondeat: Sic, habeo, rogate patrem sanctum quod ipse tribuat michi vim suam. Et ordinatus dicat: Deus tribuat vobis gratiam recipiendi illam ad honorem eius et vestram salutem. Tunc ordinatus dicat credenti: Dicite orationem me-

E puis l'ancia diga la oracio, el crezentz que la seguia.

E puis diga l'ancia: Aquesta sancta oracio vos liuram, que la recepiatz de deu, e de nos e de la gleisa, e que aiatz pozestat de dir ela totz les temps de la vostra vida, de dias, e de nuitz, sols, et ab companha, e que iamais no mangetz, ni bevatz, que aquesta oracio no digatz primeirament; e si o faziatz en falha, auria vos obs qu'en portessetz penedensa.

Et el deu dire: Eu la recebi de deu, e de vos, e de la gleisa. E puis fassa so miloirer, e reda gracias.

E puis li crestia fasan dobla ab venias, el crezent detras els.

cum verbo ad verbum, et perdonum dicite sicut dixerit ille qui est iuxta ordinatum[21]. Tunc ordinatus incipiat perdonum. Postea dicat orationem sicut est consuetudo. Finita oratione et gratia, tunc credens cum reverentia dicat coram ordinato: Benedicite, parcite nobis, amen. Fiat nobis, domine, secundum verbum tuum. Et ordinatus dicat: Pater et filius et spiritus sanctus dimittat vobis omnia peccata vestra. Et tunc credens surgat. Ordinatus dicat: A deo et nobis et ab ecclesia et suo sancto ordine et a suis sanctis preceptis et discipulis habeatis potestatem istius orationis dicendi eam ad comestionem et potationem vestram de die nocteque, solus et cum societate, sicut est consuetudo ecclesie Ihesu Christi; et non debeatis comedere neque bibere sine ista oratione. Et si fallimentum adherit, quod manifestabitis ad ordinatum ecclesie cicius quam poteritis, et portabitis illam penitentiam quam ipse vobis dare voluerit. Dominus deus verus det vobis graciam observandi illam ad honorem illius et salutem vestri. Tunc credens faciat tres reverencias, dicendo: Benedicite, benedicite, benedicite, parcite nobis. Dominus deus tribuat vobis bonam mercedem de illo bono quod fecistis michi amore dei.

Tunc si credens non debet consolari, oportet accipere servicium et ire ad pacem.

---

21 Le passage est corrompu. Il semble qu'on doive rétablir en ce sens: Et perdonum dicite sicut dixerit ille. Et dicat sicut dixerit ille (scilicet ancianus) qui est iuxta ordinatum. On retrouvera plus loin cet 'ancianus qui est iuxta ordinatum'

Cérémonie du Consolamentum.

(pag. 475b-479b).

(fol. 39v-44r).

E si deu esser cossolatz ades,

fasa so milhoirer,

Et si credens debet consolari in
presenti postquam recepit orationem,
tunc ipse credens debet venire cum
illo qui ancianus est de hospicio illius, et debent facere tres reverentias
coram ordinato et rogare de bono illius credentis. Hoc facto, tunc ordinatus et christiani et christiane debent rogare deum cum septem orationibus ita quod ordinatus audiatur;
et hoc facto, tunc ordinatus dicat:
Fratres et sorores, si dixissem vel
fecissem aliquid contra deum et salutem meam, rogate dominum deum
pro me quod ipse michi parcat. Et
ille ancianus qui est iuxta ordinatum
dicat: Pater sanctus, iustus et verax
et misericors, qui potestatem habet in
celo et in terra dimittendi peccata,
ipse dimitat vobis et parcat omnia
peccata vestra in hoc seculo, et futuro faciat vobis misericordiam. Et
ordinatus dicat: Amen. Fiat nobis,
domine, secundum verbum tuum.
Tunc omnes christiani et christiane
faciant tres reverentias, dicendo: Benedicite, benedicite, benedicite, parcite nobis; si dixissemus aut fecissemus aliquid contra deum et salutem
nostram, rogate deum misericordie
quod ipse nobis parcat. Benedicite,
parcite nobis. Et ordinatus respondeat; Pater sanctus, iustus, verax et
misericors et cetera, sicut superius
dictum est.
Et hoc facto, tunc ordinatus aptet
discum coram se. Tunc credens ve-

e pre[n]ga
le libre de la ma de l'ancia.

niat coram ordinato et accipiat librum de manibus ordinati cum tribus reverentiis, sicut ad orationem fecit et superius memoratum est. Tunc dicat ordinatus: Iohannes, habetis voluntatem recipiendi baptismum spirituale Ihesu Christi et perdonum vestrorum peccatorum, propter deprecationem bonorum christianorum cum impositione manuum, et retinere illud toto tempore vite vestre cum castitate et humilitate et cum omnibus aliis virtutibus bonis, quas deus vobis tribuere voluerit? Et credens respondeat: Sic, habeo, rogate deum quod ipse tribuat michi vim suam. Et ordinatus dicat: Deus tribuat vobis gratiam recipiendi illud ad honorem illius et salutem vestram.

E l'ancia deu le amonestar e prezicar ab testimonis covinentz et ab aitals paraulas cos coveno a cossolament. E diga enaissi. En Peire, voletz...

Tunc ordinatus incipiat predicationem tali modo, si ei placet. O Iohannes, vos debetis intelligere...

(Ici, dans chacun des rituels, l'admonition préliminaire au consolamentum; puis la cérémonie continue):

Tunc ordinatus accipiat librum de manibus credentis et dicat: Iohannes, si sic vocatur eius nomen, habetis voluntatem recipiendi istud sanctum baptismum Ihesu Christi, sicut memoratum est, et retinere illud toto tempore vite vestre cum puritate cordis et mentis et non deficere pro aliqua re? Et Iohannes respondeat: Sic, habeo, rogate bonum dominum pro me ut det michi suam gratiam. Et ordinatus dicat: Dominus deus verus tribuat vobis gratiam recipiendi hoc donum ad honorem il-

Et el diga enaissi: Ei volontat, pregatz deu per mi que m'en do la sua forsa.

E puis la us dels bos homes fasa so miloirer ab le crezentz a l'ancia, e diga: Parcite nobis. Bo crestia, nos vos pregam per amor de deu que donetz d'aquel be que deus vos a dat ad aquest nostre amic. E puis le crezent fasa so miloirer, e diga: Parcite nobis. De totz les pecatz qu'eu anc fi, ni parlei, ni cossirei, ni obrei, venc a perdo a deu, et a la gleisa et a totz vos.

E li crestia digan: De deu, e de nos, e de la gleisa vos sian perdonat e nos preguem deu que les vos perdo.

E puis devo lo cossolar.

E l'ancia prenga lo libre e meta lei sus lo cap, e li autri boni homi cascu la ma destra,

e digan las parcias e

tres Adoremus,

lius et ad bonum vestrum. Tunc credens stet cum reverencia coram ordinato et dicat sicut dixerit ancianus qui fuerit apud ordinatum, qui dicat: Ego veni deo et vobis et ecclesie et vestro sancto ordine pro recipiendo perdonum et misericordiam de omnibus meis peccatis, que sunt in me commissa et operata pro aliquo tempore usque modo, quod vos rogetis deum pro me, quod ipse dimittat michi. Benedicite, parcite nobis.

Tunc ordinatus respondeat: A deo et nobis et ecclesia et suo sancto ordine et a suis sanctis preceptis et discipulis recipiatis vos perdonum et misericordiam de omnibus vestris peccatis, que in vobis commissa sunt et operata pro aliquo tempore usque modo, quod dominus deus misericordie dimittat vobis et conducat vos ad vitam eternam. Et credens dicat: Amen, fiat nobis, domine, secundum verbum tuum. Tunc credens surgat et ponat suas manus super discum coram ordinato.

Et ordinatus tunc imponat librum super caput eius, et omnes alii ordines et christiani, qui ibi fuerint, manus suas dexstras imponant super eum. Et ordinatus dicat: In nomine patris et filii et spiritus sancti. Et ille qui est apud ordinatum dicat: Amen. Et omnes alii dicant plane. Tunc ordinatus dicat: Benedicite, parcite nobis, amen. Fiat nobis, domine, secundum verbum tuum, pater et filius et spiritus sanctus dimitat vobis et parcat omnia peccata vestra. Adoremus patrem et filium et spiritum sanctum; adoremus patrem et filium et spiritum sanctum; adoe puis: Pater sancte, suciper servum tuum in tua iusticia et mite gratiam tuam e spiritum sanctum tuum super eum. E pregon deu ab la oracio, et aquel que guisa lo menester deu ecelar a la sezena; e can la sezena sera dita deu dire tres Adoremus e la oracio una vetz en auzida, e puis l'avangeli; e can l'avangeli es ditz devo dire tres Adoremus e la gratia e las parcias.

E puis devo far patz entre lor et ab lo libre. E si crezentz i a, fasan patz atressi, e crezentas si n'i a, fasan patz ab lo libre e entre lor.

E puis pregon deu ab dobla et ab venias, et auran liurat.

remus patrem et filium et spiritum sanctum: Pater sancte, iustus et verax et misericors, dimitte servo tuo, recipe eum in tua iustitia. Pater noster qui es in celis sanctificetur nomen tuum, et cetera. Et dicat quinque orationes vociferando et postea Adoremus ter. Et postea dicat unam orationem, et postea Adoremus patrem et filium et spiritum sanctum ter. Et postea In principio erat verbum et cetera. Finito evangelio, ter dicat Adoremus patrem et filium et spiritum sanctum. Et postea orationem unam. Et postea ter dicat Adoremus, et levet gratiam.

Et christianus osculet librum et postea faciat tres reverentias, dicendo: Benedicite, benedicite, benedicite, parcite nobis; deus reddat vobis bonam mercedem de illo bono quod michi fecistis amore dei.

Tunc ordines, christiani et christiane recipiant servicium sicut consuetudo est ecclesie.

Quelques remarques particulières paraissent nécessaires. Le rituel roman indique que le croyant devait être « en abstinence » pour recevoir le livre des évangiles. Il s'agit ici d'un véritable état de jeûne; la pénitence préparatoire à l'initiation cathare était de longue durée, parfois elle durait plus d'un an. Ce jeûne paraît avoir été analogue à celui observé d'une manière constante par les profès; il était pour les Cathares une préparation à l'abstinence perpétuelle imposée par le consolamentum. Sa durée mettait à l'épreuve la volonté du futur initié et assurait les ministres de sa fidélité.

La tradition du livre et de l'Oraison ne se fait pas sans le consentement de la communauté des fidèles et le nouveau croyant doit être présenté par un parrain. Il s'agit donc d'une société, d'une église où l'on est incorporé par le rite liturgique. Avec raison on a reconnu dans ces éléments, préparation, élection, tradition de l'Oraison, une survivance de l'initiation des catéchumènes dans l'église ancienne. Les discours préparatoires aux rites, l'imposition des mains appartiennent eux aussi à la même tradition chrétienne [22].

L'explication des cérémonies est abrégée dans le texte roman; elle ne serait pas parfaitement compréhensible sans le texte latin plus développé et plus circonstancié. Ainsi le « bon homme » *qui est après l'ancien* nommé au début du texte roman disparaît dans la suite; le texte latin montre cependant que son rôle n'est pas achevé; c'est lui *qui est iuxta ordinatum* et récite le *perdonum* avec le nouveau croyant; un peu plus loin, dans le rite du consolamentum, il est nommé *ancianus*. Il faut donc se garder de la similitude des noms. L'*ancia* du texte roman est l'*ordinatus*, le ministre sacré, du texte latin; le « bon homme » du roman est l'*ancianus* du latin.

Le *perdonum* est la confession générale des fautes unie au *melioramentum*, rite par où le croyant et les fidèles demandent la bénédiction au ministre. Chaque fois qu'il prononce le « Benedicite » le croyant fait une inclination ou une génuflexion. On a pu constater au cours de la lecture combien ce rite se répétait fréquemment. Ordinairement le *melioramentum* est appelé *adoration* par les écrivains catholiques contemporains [23].

---

22 La tradition du livre appartient aussi aux rites de l'ordination (Lectorat), l'imposition des mains, qui apparaît ici comme un rite complémentaire, se rattache d'avantage à la confirmation et au presbytérat.

Sur les anciens rites baptismaux dans l'église catholique voir : L. Duchesne, Origines du culte chrétien, 5e édit., ch. 9-10 (Paris 1925) pp. 309-398. - P. de Puniet O. S. B., Les trois homélies catéchétiques du sacramentaire Gélasien pour la tradition des évangiles, du symbole et de l'oraison dominicale, Revue d'Hist. Ecclés., t. v (1904) pp. 505-521, 755-786, t. VI (1905) pp. 15-32, 304-318. Du même auteur articles Baptême, Diction. d'Arch. chrétienne et de liturg., vol. II 1 (Paris 1925) col. 251-346, et Catéchuménat, l. c. vol. II 2 (Paris 1925) col. 2579-2621. – A. Dondeyne, La discipline des scrutins dans l'Église latine avant Charlemagne, Rev. d'Hist. Ecclés., t. 28 (1932) pp. 5-33, 751-787.

23 Adoration a ici un sens liturgique et non pas le sens théologique d'hommage rendu à la majesté divine, et d'idolâtrie s'il s'adresse à une créature. C'est le sens de l'*adoration* du nouveau pape par les cardinaux, rite accompagné de trois prosternations.

Le *servicium* imposé au croyant après la cérémonie est une pénitence rituelle, c'est elle, semble-t-il, qu'il faut reconnaître dans la *double* du texte roman.

La *tavola* ou *discus* est une petite table mobile, une crédence, sur laquelle on dispose le livre des évangiles.

Le parallélisme littéral des derniers paragraphes du discours dans les deux traditions montre que cette partie de l'allocution était fixée par le rituel. Si le texte latin insère ici une exposition de l'Oraison dominicale, on verra tout à l'heure qu'elle a été introduite comme une pièce de surcroît; vraisemblablement il n'y avait ici qu'une très rapide glose de l'Oraison, comme dans les anciens rites chrétiens.

Au début du *Consolamentum* le ministre se fait absoudre de ses péchés par un des anciens. Les Cathares enseignaient que le baptême conféré par un ministre en état de péché était sans effet. Tous les baptisés (chrétiens et chrétiennes) font également leur coulpe et reçoivent l'absolution. Puisqu'ils prenaient une part active dans l'administration du consolamentum en imposant la main sur le croyant ils devaient eux-aussi être purs de toute faute. Il n'est pas facile d'estimer le caractère de cette absolution. Seul le consolamentum avait le pouvoir d'effacer les fautes graves; quand un fidèle avait manqué à un des préceptes de la morale cathare, si rigoureuse, il devait recevoir à nouveau le consolamentum, mais alors cette réitération se faisait sans le cérémonial du premier baptême. Autant qu'il est possible d'en juger les Cathares semblent avoir attribué à l'absolution donnée en dehors du consolamentum un caractère comparable à celui de l'absolution qui suit le *Confiteor* dans la liturgie catholique; le parallélisme des formules est d'ailleurs évident.

La lecture des éléments essentiels du rituel cathare ne peut laisser place à aucun doute sur l'origine chrétienne de ces cérémonies de la tradition du livre et du baptême de l'esprit par imposition des mains. Un lecteur non prévenu pourrait se laisser tromper et tenir pour orthodoxes ces rites anciens; son impression serait encore accentuée par la lecture des allocutions préparatoires toutes imprégnées de l'esprit chrétien.

Les documents de l'ancienne liturgie catholique sont assez rares, il est difficile de dire à quelle église les hérétiques ont emprunté la forme de leurs rites. Sans doute l'élément essentiel du baptême, l'infusion d'eau ou l'immersion, fait défaut et on ne peut mettre en doute la pratique constante de ce rite dans l'église catholique, mais les éléments conservés par le consolamentum appartiennent très certainement au rite chrétien; les déformations ne sont pas telles qu'il soit permis d'y voir une création indépendante. Pour accorder les pratiques rituelles aux conceptions doctrinales on a éliminé les éléments matériels, eau, onction d'huile, etc. De même la tradition du Symbole pratiquée dans le rite chrétien a été supprimée, puisqu'on en rejetait le contenu.

L'emprunt de ces rites à la liturgie chrétienne n'est pas le fait des Cathares; dès le haut moyen âge l'évolution des pratiques sacramentelles avait atteint ou peu s'en faut la forme moderne; la tradition du « Pater » et l'imposition des mains sont manifestement antérieurs dans le stade d'évolution où nous les a conservées le rituel cathare, elles sont les témoins d'un âge où la confirmation était rattachée au baptême. On ne peut nier leur tenue sobre et archaïque, à ce point qu'on est en droit d'y voir des vestiges parmi les plus anciens de la liturgie baptismale chrétienne. C'est là le véritable intérêt du rituel latin cathare. Les liturgistes ne manqueront pas de faire des rapprochements et leur travail sera d'un grand secours pour l'histoire du catharisme. Il permettra sans doute de fixer le temps où s'est formée cette liturgie hétérodoxe et le lieu de son origine. Dans l'état actuel de notre connaissance des rites primitifs de l'initiation chrétienne nous pensons que les points de comparaison les plus nombreux seraient donnés par les pratiques des églises d'Afrique où, dès s. Augustin, nous trouvons la tradition de la prière au cours du catéchuménat et des scrutins [24]. Mais ce rapprochement n'est ici qu'une simple suggestion, il demanderait une étude approfondie pour avoir quelque valeur historique.

---

24 Voir P. de Puniet, art. Catéchuménat, l. c., col. 2597-2598. Le même auteur (Les trois homélies..., Rev. d'Hist. Eccl., t. VI (1905) pp. 15-32) a relevé les influences africaines (Cyprien et Tertullien) sur la formation de l'homélie précédant la tradition de l'Oraison dominicale dans le Sacramentaire Gélasien.

Les discours préliminaires à l'initiation.

Le contenu doctrinal de ces deux discours a un intérêt qui mérite d'être souligné. Nous ne possédons que quelques lignes de l'allocution précédant le rite de la tradition du Pater, mais par une heureuse fortune le fragment commence un peu avant la glose de l'Oraison dominicale, glose qui n'a pas son pendant dans le rituel roman mais existait dans l'antique liturgie du baptême chrétien [25].

Dans notre fragment il faut distinguer deux éléments : un exposé simple et rapide de chacune des propositions du Pater, un long développement au texte *Panem nostrum*. Une correction importante dans le manuscrit à l'endroit où débute ce dernier élément prouve que l'auteur du recueil l'a inséré de son propre chef dans la trame simple de la glose. Le texte primitif comportait ces quelques lignes : « Panem nostrum supersubstantialem. Per panem supersubstantialem intelligitur lex Christi, que data fuit super universum populum. Da nobis hodie. Quasi dicat : Sancte pater, tribue nobis tuas vires ut in hoc tempore gracie perficere valeamus legem et precepta filii tui qui vivus est panis ». L'auteur a rayé la glose depuis *Da nobis hodie* et inséré à la suite deux grandes pages d'une exposition doctrinale sur le pain supersubstantiel, l'eucharistie, où le réalisme chrétien disparaît totalement. Le pain de la Cène que le Christ présenta à ses disciples, ce sont les préceptes de la loi et des prophètes; la bénédiction, c'est leur approbation et leur confirmation par le Christ; le don aux disciples (deditque discipulis suis), c'est le précepte de les observer spirituellement; « accipite », c'est à dire conservez-les; « comedite » prêchez-les aux autres. Cette doctrine est l'expression de la croyance commune des Cathares; ils ne voyaient qu'un symbole où la tradition chrétienne a toujours adoré la présence réelle du Christ [26].

La forme « Panem nostrum supersubstantialem » ne doit pas sur-

---

25 Ainsi les sermons de s. Augustin *De oratione dominica ad competentes*, serm. 56-59 PL 38, col. 377-402.

26 L'interprétation du ꞌpain quotidien' entendu des Écritures et des préceptes est aussi proposée chez les docteurs chrétiens (voir par exemple s. Augustin dans les sermons cités ci-dessus), mais elle vient après l'interprétation réelle du pain matériel et de l'Eucharistie.

prendre; on la trouve dans certains manuscrits de la Vulgate; c'est le texte commenté par s. Thomas d'Aquin dans son Exposition de l'évangile de Saint Matthieu.

Les derniers mots « Quoniam tuum est regnum et virtus et gloria in secula » appartiennent au texte grec. C. Schmidt a voulu tirer argument de ce fait pour établir l'origine gréco-slave des versions de la bible cathare [27]. La remarque de notre auteur prouve au contraire que son évangile de saint Matthieu ne contient pas les mots en question : « Hoc verbum dicitur esse in libris grecis vel hebraicis ». La seule chose acquise est la présence de cette finale dans la forme liturgique de l'Oraison; cela n'engage en rien la solution du problème des versions de la bible cathare. Les latins eux-mêmes n'ignoraient pas ce texte et s. Thomas d'Aquin n'avait pas les hésitations de l'auteur de notre discours, il renvoie à la seule tradition grecque : « In greco adduntur tria verba : Quoniam tuum regnum et virtus et gloria » [28].

Dans l'allocution précédant le consolamentum on relèvera le souci de l'orateur d'appuyer sur le témoignage des Écritures la foi de son église dans la vertu de l'imposition des mains, sur la continuité de sa transmission depuis l'âge apostolique. Le baptême par imposition des mains n'est pas un rite inventé par les hommes ou l'église, mais une institution du Christ; il est un signe visible de l'incorporation à l'église, un témoignage rendu par la communauté à la conscience du nouveau croyant. L'absolution des péchés est son effet principal en même temps que la restitution de l'esprit. Sans ce témoignage visible du baptême de l'esprit, il n'est pas de salut possible.

Avant de recevoir le consolamentum le croyant doit s'engager par vœu à observer les préceptes de la morale cathare. Le discours résume rapidement les principaux devoirs du baptisé : l'homicide, l'adultère [29],

---

27 C. Schmidt, Histoire et doctrine..., l. c. t. 2, p. 274 n. 5.

28 S. Thomas d'Aquin, *Lectura super Matthaeum*, cp. VI (éd. Marietti, *Taurini* 1925 p. 103).

29 Par homicide il faut entendre tout attentat à la vie humaine ; le cathare ne pouvait pas prendre part à la guerre. Par adultère il faut entendre toute œuvre de la chair. (Cf. Gregorius de Florentia, *Disputatio inter catholicum et paterinum haereticum*, cp. 1, éd. Martène et Durand, *Thesaurus novus anecdotorum*, t. V. Parisiis 1717, col. 1711-1712). Les Cathares toléraient la vie conjugale chez les simples

le serment lui sont défendus; il s'oblige à l'abstinence totale de fromage, de lait, d'œufs, de la chair des oiseaux des reptiles et en général de toute alimentation carnée; il supportera la faim, la soif, les scandales, la persécution et la mort plutôt que de se parjurer. Il devra une obéissance totale à l'église et à ses ministres.

Un dernier point doit être noté. Le futur baptisé n'est pas invité à renoncer à son premier baptême (celui de l'église catholique). Alors que d'autres documents nous parlent de la renonciation (abrenuntiatio) de ce sacrement, nous pouvons lire ici: « Non intelligat quisquam quod per istud baptismum, quod recipere intelligitis, quod debeatis contempnere aliud baptismum, nec christianitatem nec bonum aliquod quod fecistis nec (vel?) dixistis usque tunc, sed debetis intelligere quod oportet vos recipere istud sanctum ordinamentum Christi pro supplemento illius, quod deficiebat ad salutem vestram ». Les chrétiens peu instruits qui passaient à l'hérésie pouvaient croire en toute bonne foi qu'ils ne renonçaient pas à l'église de leurs pères, mais s'engageaient seulement dans un état de vie chrétienne plus parfait. Les docteurs cathares se gardaient bien d'exposer sans voiles leurs erreurs doctrinales les plus opposées à la foi catholique; le succès de leur prédication en milieu chrétien était à ce prix. Cette dissimulation est une des tares les plus tristes du néo-manichéisme médiéval.

Si au terme de cette analyse du contenu du manuscrit cathare de Florence nous voulons marquer rapidement son intérêt pour l'histoire, nous retiendrons deux sortes de bénéfices: tout d'abord d'ordre littéraire, puis d'ordre doctrinal.

En histoire littéraire on sera enfin assuré de l'utilisation de l'Écriture sainte par les Cathares dans une version latine. Cette utilisation paraissait probable en raison des dépositions dans les procès inquisitoriaux et de citations relevées chez les polémistes catholiques. La bible trouvée à Lyon était en langue vulgaire; l'emploi fait par notre manuscrit d'un nombre considérable de citations latines établit de manière certaine que l'auteur possédait une bible en cette langue.

---

croyants, mais alors ceux-ci vivaient dans un état de péché perpétuel. Du point de vue doctrinal cette tolérance est une monstruosité ; ne pas condamner moralement ce qu'on tient pour péché grave est une aberration. Malgré eux les Cathares devaient plier l'application de leur morale rigide aux exigences du droit naturel.

L'origine de cette version est fixée, nous sommes en présence de la Vulgate.

Les variantes textuelles ne dépassent guère celles présentées par les traditions d'ouvrages indéfiniment recopiés; il sera facile par ces variantes d'identifier la famille de manuscrits à laquelle appartenait ce texte. Nous n'avons pas rencontré de graves écarts avec la lettre de l'édition clémentine, écarts qui auraient pu autoriser une interprétation favorable aux doctrines cathares.

Le fait de l'existence d'une bible cathare latine procédant de la Vulgate apporte un nouvel élément à la solution du problème posé par Schmidt touchant l'origine des versions de la bible cathare. Cet historien pensait qu'elles procédaient de versions grecques ou slaves mais écartait la Vulgate. Si d'autre part nous rappelons que le Nouveau testament en langue romane du manuscrit de Lyon est une traduction faite sur la Vulgate, il semble que l'on est en droit de dire, appuyés sur ces deux témoins, que la bible des Cathares de l'Occident était la Vulgate, ou bien des versions en langue vulgaire de ce texte de s. Jérôme.

Autre bénéfice, négatif celui-là! Quelques documents de l'Inquisition ont retenu parmi les livres connus des Cathares des apocryphes bibliques, Vision d'Isaïe, Faux évangile de saint Jean (Cène secrète); des découvertes plus récentes ont également permis de penser qu'ils utilisaient des ouvrages comme les *Capitula* de Fauste de Milève, le roman de Barlaam et de Joasaph dans une traduction en langue romane, etc. Le recueil de Florence paraît ignorer totalement ces divers ouvrages; il y aura donc lieu à une très grande réserve dans l'utilisation de ces livres pour expliquer le néo-manichéisme latin. Le *De duobus principiis* est composé pour des Cathares, comment expliquer le silence de l'auteur sur ces écrits s'ils sont reçus comme authentiques? il n'y a même pas trace de leur influence! Quelques groupes ont pu les posséder, mais de là à généraliser, il faut une très grande réserve. Ajoutons que tout autre traité du manichéisme ancien, des auteurs profanes est ignoré, sauf les exceptions signalées pour Aristote (Avicebron) et le Livre des causes une fois nommés, et les collections de Droit impérial (non nommées).

Du point de vue doctrinal il y aura lieu de ne pas exagérer l'importance de la découverte, elle donne seulement le témoignage d'un groupe unique entre les multiples fractions des sectes cathares. Le témoin, il est vrai, est exceptionnel, puisqu'il vient d'un des théoriciens principaux du néo-manichéisme médiéval, mais il représente un courant particulier dont les origines ne remontent pas au delà de 1230. C'est le temps de la décadence cathare; le dualisme mitigé qui s'est développé depuis le milieu du xiiᵉ siècle a affaibli l'esprit primitif et original du catharisme. Une évolution considérable s'est opérée, dont la direction se rapproche de plus en plus de la doctrine catholique. Si l'œuvre de Jean de Lugio apparaît d'une certaine manière comme une nouvelle affirmation du dualisme primitif absolu, elle accentue d'autre part le parallélisme avec le dogme chrétien en plusieurs points. La transposition du réalisme chrétien à un monde supérieur au nôtre est aussi un essai d'intégration de ce réalisme dans le système cathare. Œuvre d'imagination plutôt qu'œuvre de raison, l'effort était voué à l'échec; le développement philosophique de la culture universitaire au xiiiᵉ siècle devait le condamner plus sûrement que la contrainte et la persécution.

Seul le pessimisme radical du catharisme demeure intact, et c'est là ce qui le différencie de l'esprit chrétien. Le mal paraît inconciliable avec la notion d'un dieu bon et tout puissant, un principe mauvais seul peut en être responsable; tout est mauvais qui vient de lui. L'erreur des Cathares a été de concevoir le mal comme une réalité opposée au bien, et non comme un défaut dans le bien; il a donc une cause, est antérieur à l'homme, antérieur au monde. Le péché était avant nous et a corrompu toutes choses, l'homme et la nature sont soumis à sa loi. L'âme, étincelle divine, originellement bonne, ne peut échapper à son empire que par le rejet total du monde sensible.

L'esprit chrétien est moins pessimiste. Certes il ne nie pas le mal et le péché, mais il sait que chacun de nous en est responsable. La création n'est pas foncièrement mauvaise, elle est au service de l'homme pour l'aider à retourner à Dieu; la condamner serait faire injure à son auteur. Pour avoir une intuition de ce qui différencie l'esprit chrétien de l'esprit cathare, il suffit de se souvenir d'un saint François d'Assise, contemporain de cette explosion de pessimisme. Saint François n'était pas philosophe et son extraordinaire mépris du monde et de ses biens n'était en rien inférieur aux ascèses cathares; personne n'osera penser que la vibration de son âme devant la beauté sensible de la création était moins religieuse et moins humaine qu'une condamnation sans retour. Le témoignage de telles âmes a une valeur qui dépasse la pure raison, il engendre comme une révolte de l'esprit contre les égarements où l'entraîne son impuissance à rendre pleinement raison de toutes choses. Le mystère du mal nous oppresse; il serait folie de vouloir le réduire à notre mesure. L'âme chrétienne se soumet à la vérité telle qu'elle s'impose à elle, l'irrationnel est couvert par la foi en l'admirable providence de Dieu dont l'œuvre s'achève au Calvaire.

Manichéisme ancien et Cathares

Dans son Histoire et doctrine de la secte des Cathares ou Albigeois Schmidt s'est efforcé de montrer l'absence de lien entre l'ancien manichéisme et les Cathares du moyen âge. Les progrès de la critique moderne inclinent les historiens à réformer cette thèse, encore qu'une continuité sans défaut n'ait pu être prouvée. A partir du VIIᵉ siècle le manichéisme disparaît en Occident; quelques groupes isolés ont pu subsister çà et là pendant un certain temps et dans l'obscurité, leurs traces se sont effacées. Dans l'Europe orientale la succession historique remonte un peu plus avant. Les Cathares de France et d'Italie tiraient de la secte des Bogomiles bulgares l'origine de leur foi. Ceux-ci à leur tour formaient une branche dérivée des dualistes Pauliciens, établis en Thrace et en Macédoine dès le VIIIᵉ siècle. De fait les parallèles doctrinaux entre Cathares et Pauliciens vont très loin, avec une réserve pourtant, la morale des Pauliciens était moins sévère que ne l'a été celle des Cathares.

Les débuts du Paulicianisme sont mal connus; ses premières manifestations certaines ne remontent guère au delà du milieu du VIIᵉ siècle. Un lien historique continu avec les manichéens n'a pu être établi; cependant ses origines aux confins de l'Europe et de l'Asie, où les doctrines de Mani avaient encore de nombreux adeptes, rendent la filiation des plus vraisemblables. Ce serait par eux que les doctrines dualistes auraient pénétré dans l'Occident latin dans le haut moyen âge.

Il faut remarquer pourtant le silence le plus complet des Cathares sur le nom de Mani, un tel silence s'expliquerait difficilement s'il y avait eu une continuité sans défaut. Les premiers manichéens avaient pour leur fondateur un culte comparable à celui des chrétiens pour la personne du Christ; comment la tradition se serait-elle effacée?

Les Cathares ont pu taire ce nom devant les tribunaux d'inquisition, mais des hommes comme Bonacursi [30] et Sacconi, anciens dignitaires de la secte, auraient souligné le fait s'il avait existé. Les polémistes catholiques ont bien reconnu les doctrines manichéennes dans l'hérésie cathare, mais c'est grâce à leur connaissance de saint Augustin. Pour exposer les doctrines dont il accuse les Cathares, Étienne de Bourbon tire ses informations du *Contra epistolam manichei,* du *De moribus manicheorum* et du *De heresibus* [31].

Quoiqu'il en soit du fait historique d'une filiation continue ou non de Mani jusqu'aux Cathares, la comparaison des doctrines oblige à reconnaître une parenté très étroite entre eux. Les différences sur lesquelles Schmidt insistait spécialement paraissent dues à une plus longue influence chrétienne sur les milieux où se développa le néo-manichéisme. Influence de race aussi; les occidentaux étaient peu portés vers les mythes de l'Orient qui abondent dans l'œuvre de Mani. Enfin influence culturelle; l'esprit latin formé par des siècles de culture

---

30 Bonacursi, ancien dignitaire cathare converti au catholicisme et auteur de la *Manifestatio haeresis catharorum,* vers 1190. On consultera sur cet ouvrage l'étude récente du P. Ilarino da Milano O. M. Cap., *La « Manifestatio heresis catarorum quam fecit Bonacursus » secondo il Cod. Ottob. Lat. 136 della Biblioteca Vaticana* dans *Ævum,* t. XII (1938) pp. 281-333.

31 Étienne de Bourbon écrit : « Errores illius (à savoir Mani) perversi dogmatis sunt hi qui colliguntur ex verbis beati Augustini, de tribus eius libris, de eo qui intitulatur Contra Manicheos et de alio qui intitulatur De Moribus Manicheorum, item de libro De heresibus, in quibus multa de eorum (catharorum) erroribus et abusionibus continentur » : dans A. Lecoy de La Marche, Anecdotes historiques légendes et apologues tirées du recueil inédit d'Etienne de Bourbon dominicain du XIIIe siècle (Paris 1877) p. 300. On ne peut accepter le témoignage d'Eckbert, disant des Cathares : « Celebrant pro eo *(la fête de Pâques)* aliud festum, in quo occisus est haeresiarcha eorum Manichaeus, cuius procul dubio haeresim sectantur, quod beatus Augustinus contra Manichaeos Beima (Bema) appellari dixit. Meus autem recitator ab eis quibus ipse fuerat commoratus Malilosa dixit vocari, et autumnali tempore celebrari » : (*Sermones contra Catharos* PL 195 16). L'identification de la Malilosa (fête que nous ne connaissons pas autrement) avec la *Bema* des Manichéens est faite par Eckbert. Il suffit de noter que la Malilosa se célébrait en automne pour constater la fausseté de cette identification. Eckbert prend ses informations sur la *Bema* dans s. Augustin, *Contra Epistolam Manichaei* PL 42 179 ; son autre informateur ne paraît pas donner de renseignements sur la correspondance des deux fêtes. Il faut retenir que le passage d'Eckbert est le seul connu où les auteurs du moyen âge rattachent directement les Cathares à une *tradition* manichéenne.

juridique tendait moins à une spéculation d'allure rêveuse qu'à la détermination précise de préceptes religieux et moraux en rapport avec les croyances.

Cependant même sous ces aspects Manichéens et Cathares ne sont pas très éloignés, Les mythes cathares de l'invasion du ciel par le dieu mauvais, la chute des anges, etc. sont comme une transposition plus chrétienne des mythes manichéens. L'influence des récits bibliques sur cette transposition a été considérable, car malgré le rejet partiel ou total de l'Ancien testament, les Cathares expliquent par l'Écriture l'œuvre du principe mauvais. La spéculation philosophique des Cathares rejoint également le manichéisme; l'opposition absolue du bien et du mal, avec ses conséquences immédiates, deux principes, deux créations, appartient à une même métaphysique que celle qui oppose la lumière aux ténèbres.

Les progrès modernes faits dans la connaissance des écrits de Mani, grâce aux découvertes du Tourfan, d'Algérie et du Fayoum, ont constamment réduit les oppositions entre les deux écoles philosophiques et religieuses; à ce point qu'il faut reconnaître dans le catharisme un véritable néo-manichéisme. Le dualisme mitigé, très répandu dans l'Italie du nord au XIIIe siècle, est un affaiblissement de la doctrine cathare primitive. Son évolution, ici encore, est due à l'influence du milieu chrétien où il se développe. Les esprits se refusaient moins à la croyance à un principe secondaire mauvais, créé par le dieu unique, qu'à la doctrine de deux principes éternels. Cet enseignement leur paraissait plus conforme à la croyance traditionnelle, croyance qu'ils abandonnaient plutôt à cause du scandale de la vie amorale de ministres de l'église catholique et des exemples de vie austère des Cathares qu'en raison de difficultés dogmatiques.

Il reste cependant une opposition sérieuse entre le manichéisme ancien et le néo-manichéisme médiéval, différence qui paraît caractériser exactement ce dernier. Le manichéisme est le type le plus achevé de la gnose; le salut, élément prédominant de toute la spéculation gnostique, y est conçu comme un effet de la connaissance, s'accomplit en elle. Celui qui connaît peut se sauver lui-même; point n'est besoin, absolument, d'une église, de sacrements. Si les textes du Fayoum ont révélé des pratiques religieuses analogues à certains des rites sacramentaires de l'église catholique, on ne peut y voir, semble-t-il, des éléments essentiels du manichéisme; il n'est pas même certain qu'ils aient eu valeur de vrais sacrements, au sens chrétien de causes de salut. Ils seraient plutôt comparables aux sacramentaux, opérant en vertu des actes du croyant (ex opere operantis). On peut même se demander si ces pratiques n'appartiennent pas à une déviation du pur manichéisme, concessions acceptées par le fondateur pour assurer la propagation de ses doctrines dans des pays déjà chrétiens. Quoiqu'il en soit la gnose manichéenne s'accomode difficilement de sacrements qui seraient les principes essentiels du salut.

La religion cathare s'oppose sur ce point au manichéisme; le consolamentum n'est pas moins nécessaire au salut que la connaissance de la vérité: pas de salut en dehors du baptême cathare. On a pensé que c'était là une corruption de la doctrine primitive plus large, corruption correspondant à un affaiblissement de la conscience religieuse. Il n'existe aucun document ancien en faveur de ce jugement, croyonsnous. Le hiatus historique entre le manichéisme et les Cathares a son parallèle dans les pratiques rituelles. Le consolamentum cause essentielle de salut apparaît en même temps que le catharisme et rien ne permet de déceler une évolution dans son rôle. Il suffit de lire le rituel pour s'en convaincre; il n'est pas de ces pièces qui furent bouleversées par le moyen âge. Sa signification est gravée dans ses formules, fixées sans doute dès l'antiquité chrétienne. Le discours même qui encadre le rituel en précise le sens: « Vous devez comprendre qu'il vous faut recevoir ce rite chrétien (ordinamentum Christi) pour compléter le baptême impuissant à assurer votre salut ».

Les croyants sincères se préparaient au consolamentum avec une dévotion et une pénitence justifiée seulement par la valeur religieuse extraordinaire qu'ils lui attribuaient. Ce sacrement était le centre de leur vie, il marquait l'étape décisive dans leur retour à dieu. Nous n'oserions vouloir diminuer la participation humaine personnelle à l'œuvre de sanctification, mais l'efficacité du consolamentum est un don gratuit; le croyant doit apporter le maximum de dispositions morales et religieuses, le consolamentum seul *opère* le salut. Engagé désormais dans une vie nouvelle le cathare n'est plus un homme comme les autres, il est « bon chrétien », purifié.

Si la part essentielle de la transformation opérée revenait à l'homme, on ne pourrait expliquer le changement radical et subit effectué au moment de ce baptême de l'esprit. La conversion morale s'opère rarement en un seul temps, et dans ce cas personne n'en refuserait l'initiative à Dieu; le plus souvent elle est due à une action lente et patiente qui réforme graduellement les désordres intérieurs. La pratique cathare montre que la transformation attribuée aux effets du consolamentum n'est pas de cet ordre; on le comparerait mieux avec le baptême des adultes dans l'église catholique : le croyant se dispose dans la mesure de ses moyens humains, mais c'est l'eau baptismale qui rénove l'âme, chez les cathares l'imposition des mains restitue l'esprit perdu au moment où l'âme a été liée à la matière. Ces traits prouvent de manière assurée que le consolamentum avait, dans la doctrine cathare, tous les caractères d'un sacrement opérant par sa propre vertu (ex opere operato).

Comment expliquer cette différence, essentielle sans doute, entre la pratique cathare et la théorie gnostique manichéenne du salut par la connaissance? A défaut d'informations historiques il est difficile de proposer une réponse satisfaisante.

Les Bogomiles bulgares pratiquaient le consolamentum mais ils le tenaient d'une plus haute source, le caractère sobre et simple du rite ne permet pas de penser qu'il soit de date aussi récente. Faudrait-il remonter aux Pauliciens? sur qui l'influence des gnoses chrétiennes n'a guère été moins sensible que celle du courant manichéen. Auraient-ils emprunté le baptême de l'esprit à l'une de ces gnoses? Pour rendre vraisemblable cette conjecture il serait nécessaire de prouver la pratique du consolamentum chez les Pauliciens. Théoriquement ils n'accordaient aucun pouvoir sanctificateur aux sacrements chrétiens, en pratique ils faisaient baptiser leurs enfants par des prêtres catholiques. Le faisaient-ils simplement par crainte d'être inquiétés par le pouvoir ecclésiastique ou civil? Il n'est pas exclu qu'ils aient conféré le consolamentum en secret, aux sujets parvenus à l'âge adulte, mais les documents sont muets.

Le mélange invraisemblable des courants religieux les plus divers dans la Bulgarie du Xe siècle a pu permettre des influences encore mal connues sur la formation de la religion bogomile; toutes les hypothèses sont possibles, car le contrôle échappe encore à l'historien. Celui-ci est contraint de constater combien semble avoir été effacée la place du rite baptismal chez les anciens manichéens, et par opposition celle de tout premier plan du consolamentum chez les néo-manichéens cathares; il ne lui est pas encore possible de rendre raison de ce passage.

Les travaux qui pourraient être entrepris à propos de ce problème ne devront pas perdre de vue la variété des courants philosophiques et religieux reconnaissables à travers le catharisme; la part de chacun d'eux dans ses origines et son évolution est des plus difficiles à fixer. L'apport dualiste manichéen est prépondérant, le fait est certain, mais il se combine avec des éléments importants des autres gnoses, juives peut-être, mais surtout chrétiennes (type marcionite), et mandéenne. L'influence des gnoses chrétiennes asiatiques fut plus importante que l'influence du manichéisme latin, représenté par les adversaires de s. Augustin. On ne pourra oublier que les cathares possédaient sept églises dans l'Asie au milieu du XIIᵉ siècle, témoignage indirect de leurs origines orientales.

RAYNIER SACCONI ET LA SOMME DES DOCTRINES CATHARES.

Raynier Sacconi était originaire de Plaisance, une des cités lombardes où l'hérésie avait fait le plus de progrès au début du XIIIᵉ siècle. En 1204, au cours de luttes civiles, l'évêque et le clergé catholiques avaient été chassés par les seigneurs gibelins; leur départ laissait la ville sans défense contre l'infiltration des doctrines cathares. L'inquisition n'intervint qu'un quart de siècle plus tard, avec Roland de Crémone, le premier dominicain maître en théologie à l'Université de Paris.

La date de naissance de Raynier est inconnue mais elle doit remonter aux premières années du siècle; avant son retour au catholicisme, vers 1245, il aura eu le temps d'occuper une charge importante dans la hiérarchie de son église. Lui même dit qu'il fut dix-sept années dans l'hérésie et qu'il y devint *haeresiarcha*. Faut-il croire qu'il fut évêque? ou bien seulement à la tête d'une communauté locale? Ce second sens paraît probable; Raynier aurait plutôt employé le terme *episcopus* dans le premier cas, c'est toujours ainsi qu'il désigne les chefs des églises hérétiques. Nous ne savons pas à quelle branche il était affilié. Sa connaissance particulièrement précise des *Albanenses* et de leurs deux tendances doctrinales fait penser à l'église de Desenzano, mais on ne doit pas oublier que sa qualité de grand inquisiteur de Lombardie a pu lui permettre de posséder une large documentation sur ces hérétiques. Pour sa connaissance de la fraction de Jean de Lugio, il dit lui-même qu'il a entre les mains l'ouvrage de ce docteur.

C'est sous l'influence de Pierre de Vérone, le célèbre inquisiteur martyr, que Raynier abjura l'hérésie et entra dans l'ordre dominicain.

A partir de 1245 Raynier collabore avec Pierre Martyr dans la répression des Cathares. En 1252 un complot est ourdi contre les deux inquisiteurs et aboutit au meutre de Pierre le samedi dans l'octave de Pâques (6 avril 1252, et non pas le 29 comme le disent parfois les historiens de l'Inquisition). Raynier n'était pas avec Pierre de Vérone ce jour-là, il échappa au meutrier Carino.

Dans cette même année Sacconi est adjoint aux commissaires apostoliques pour enquêter sur la vie la mort et les miracles du martyr en vue de la canonisation. En qualité d'inquisiteur Raynier fait le procès des instigateurs et des complices de l'assassinat.

Depuis 1254 jusqu'à 1259 Raynier est à la tête de l'inquisition en Lombardie dont le siège est à Milan. À la dernière de ces dates il dut quitter la ville, lorsque Oberto Pallavicini, avec lequel il avait eu des difficultés, devint podestat.

Le dernier document où le nom de Raynier paraît est une lettre d'Urbain IV, du 21 juillet 1262; le Pape mandait le religieux à Viterbe pour lui faire un rapport sur l'inquisition en Lombardie.

La Somme des doctrines cathares et des Pauvres de Lyon est datée de 1250; elle traduit les sentiments un peu excessifs d'un converti. Raynier accuse impitoyablement ses anciens coreligionnaires, mettant en lumière leurs croyances et leurs pratiques opposées à la foi et aux rites catholiques. La somme n'est pas une réfutation des erreurs, c'est un réquisitoire; à d'autres de combattre les doctrines par la plume, Raynier est inquisiteur. D'ailleurs c'est le temps où son confrère Monéta de Crémone vient de publier la plus complète critique théologique qui soit sortie des rangs catholiques, il n'a pas à refaire ce travail. Il dresse simplement un catalogue à l'usage de ses confrères et collègues de l'inquisition.

Quelques-uns ont soupçonné Raynier d'avoir déformé par excès, et peut être d'avoir mal compris les doctrines cathares; il faudrait être très réservé devant ses affirmations. Il est vrai la forme extrêmement abrégée de la somme a pu durcir les formules, supprimer les tempéraments qui auraient fait contre partie aux erreurs. Personne ne songera à le nier, c'est là le défaut commun à tous les résumés doctrinaux, surtout lorsqu'ils prennent la forme d'un acte d'accusation. Cette réserve faite l'historien peut faire confiance à Raynier, les points de comparaison entre le recueil de Florence et la somme sont trop concordants pour ne pas donner un témoignage éclatant à la sûreté de ses informations et à sa connaissance exacte des doctrines. Si le hasard a voulu que nous puissions le contrôler maintenant par rapport aux *Albanenses*, il n'est aucune raison de suspecter ce qu'il dit des autres églises cathares d'Italie.

On a embrouillé comme à plaisir plusieurs des renseignements géographiques donnés par la somme. Concorezzo est devenu Goritz, Philadelphie a été transformée en Philippopolis, Dugunthia (lecture très incertaine et des plus variables dans la tradition manuscrite) est devenue Trau. La restitution des noms authentiques témoigne elle aussi en faveur de la valeur incomparable du document. Il n'est pas besoin d'insister davantage.

La somme se divise en deux parties d'inégale étendue; la première expose les croyances cathares et énumère leurs églises; la seconde dresse un inventaire sommaire des erreurs des Pauvres de Lyon. Cette dernière partie est extrêmement réduite; elle fait cependant une distinction catégorique entre Pauvres de Lyon et Pauvres Lombards. Ceux-ci s'écartent davantage de la foi catholique que ceux-là [32].

La section consacrée aux cathares se subdivise en deux éléments: exposé des doctrines communes, catalogue des églises et de leurs croyances propres. L'exposé des doctrines communes est analogue à ceux présentés dans les autres ouvrages de polémique catholique, mais il a l'avantage de rassembler des données trop dispersées dans les réfutations, d'être plus circonstancié et précis. Les chapitres où Raynier traite des rites cathares ayant quelque correspondance avec les pratiques sacramentelles de l'Église catholique sont parmi les plus rares documents connus sur ces matières, certains sont même l'unique source.

Du point de vue historique le catalogue des églises et de leurs croyances particulières est la partie essentielle de la somme. Aucun autre ouvrage n'a été mis à jour qui diminuerait sa valeur. Si on a pu

---

[32] L'authenticité de la seconde partie de la Somme, celle qui expose les doctrines des Pauvres de Lyon et de Lombardie, a été mise en doute par I. C. L. Gieseler, *De Rainerii Summa commentatio critica* (*Göttingen* 1834). Le fragment étant de peu d'étendue, et faisant corps avec la Somme depuis le XIIIe siècle, sera conservé dans le texte de l'édition de Martène. Voir encore sur les additions à la Somme de Raynier W. Preger, *Abhandlungen der Kgl. bayer. Akademie der Wissenschaften* XIII, I (*München* 1875) pp. 184 ss. et *Geschichte der deutschen Mystik im Mittelalter*, Bd. I (*Leipzig* 1874) pp. 168 ss. K. Müller, *Der Passauer Anonymus, Die Waldenser* (*Gotha* 1886) pp. 147 ss.

mettre Raynier en défaut sur le nombre d'églises cathares recensées dans sa liste, il en est qu'il ignore [33], il n'a pas été possible de l'accuser d'erreur.

De toutes ces informations, celles sur les églises de Desenzano et de Concorezzo sont les plus développées, surtout dans la partie où il est question de Jean de Lugio; pour l'intelligence du recueil de Florence elles sont aussi les plus importantes. A leur défaut il serait difficile d'exploiter le contenu du *De duobus principiis* pour une reconstruction du système doctrinal de Jean de Lugio.

Charles Molinier a signalé l'existence d'un résumé des doctrines cathares conservé dans le manuscrit 1730 (A IV 49) de la bibliothèque Casanate à Rome; il remarquait une parenté étroite entre ce texte et la somme de Raynier, à l'exception de la partie consacrée à Jean de Lugio: ' C'est la troisième (division), renfermant les doctrines personnelles de Jean de Lugio, qui diffère le plus, où même à peu près totalement, du traité indiqué ' (Sacconi) [34]. Cette réserve de Molinier laisserait soupçonner ici une autre source d'informations sur les doctrines de l'hérésiarque? La piste pouvait être intéressante à suivre.

Contrôle fait, il n'en est rien. Poussé à l'extrême limite de la concision le résumé est, ici encore, tiré presque mot pour mot de la somme de Sacconi. Molinier ne l'a pas reconnue parce que le fragment en omet la plus grande partie, mais ce qu'il donne est authentique.

L'ouvrage de Raynier a été copié un grand nombre de fois jusqu'au XVIe siècle; on le rencontre spécialement dans les recueils composés pour les inquisiteurs, à la manière de la *Practica inquisitionis* de Bernard Gui, mais en général plus anciens que celle-ci et moins complets.

Trois éditions de la somme ont été données à Paris du XVIe au XVIIIe

---

33 Dans sa liste Raynier nomme seulement quatre églises pour la France: Franciae, Tholosanae, Carcassonensis, Albigensis. L'église d'Agen disparue vers 1230 n'avait plus à figurer sur une liste établie en 1250. L'église du Razès n'est pas nommée.

34 C. Molinier, Archives des missions scientifiques..., l. c., p. 174. Le manuscrit de la bibliothèque Casanate 1730 (A IV 49) est décrit par Molinier, l. c., pp. 170-176. Une nouvelle description de ce même manuscrit a été donnée par G. Opitz, *Über zwei codices zum Inquisitionsprozess. Cod. Cas. 1730 und Cod. des Archivio Generalizio dei Domenicani II 63*, dans *Quellen und Forschungen aus italienischen Archiven und Bibliotheken*, Bd. 28 (*Rom* 1937-38) pp. 82-100.

siècle: Claude Coufford 1548; Martène et Durand (Thesaurus novus anecdotorum t. V vol. 1761-1776) en 1717 et Duplessis d'Argentré (Collectio Judiciorum de Novis erroribus t. I pp. 48-57) en 1724.

Le Jésuite Gretser a publié un texte remanié et largement augmenté de la Somme sous le titre de *Liber contra Waldenses*: Ingolstad 1614 in-4 pp. *44-99* (et *Opera Gretseri omnia, Ratisbonae* 1734-1741, t. XII, II 24). Ce texte a été reproduit dans les diverses éditions de la *Bibliotheca Patrum*: édition de Paris (Margarini de La Bigne), t. IV, par. 2, pag. 715 ss.; Cologne 1618, t. XIII, p. 295 ss.; Lyon 1677, t. XXV, pp. 262 ss.

Ce texte est une adaption de la somme de Raynier pour les inquisiteurs des pays de langue germanique, on ne peut le considérer comme l'œuvre authentique de notre dominicain [35].

L'édition de Martène et Durand a été faite d'après deux manuscrits; l'un d'eux était au XVIIIe siècle au couvent des Prêcheurs de Clermont (maintenant à la Bibliothèque publique de Clermont-Ferrand, n. 153); l'autre appartenait aux Dominicains de Rouen et était en dépôt au couvent de la rue Saint-Honoré à Paris (actuellement Mazarine 2015). C'est le texte de cette édition qui est reproduit ici, avec le contrôle des manuscrits Vatican Latin 3978 (fol. 54rb-58va) et Archives Généralices des Frères Prêcheurs, Cod. II 63 (pag. 152-167) [36].

---

35 Voir I. C. L. Gieseler, *De Rainerii Summa...*, l. c.
36 Pour le ms. Clermont-Ferrand 153, voir la description par C. Couderc dans Catalogue Général des Manuscrits des Bibliothèques Publiques de France, Départements, t. XIV (Paris 1890) pp. 55-57 (la Somme de Raynier est aux folios 110-126). Mazarine 2015, description par A. Molinier, Catalogue des Manuscrits de la Bibliothèque Mazarine, t. 2 (Paris 1886) pp. 323-325 (Raynier fol. 148-153). Le manuscrit des Archives Généralices des Frères Prêcheurs, cod. II 63 a été décrit par G. Opitz, *Über zwei codices zum Inquisitionsprozess...*, l. c., pp. 100-106. Une copie de ce même manuscrit conservée à l'Ambrosiana de Milan A 129 inf. a été décrite par C. Molinier, Archives des missions scientifiques et littéraires, l. c., pp. 176-181. La Somme de Raynier est aux folios 152r-166r de cette copie. Le ms. Vatican Lat. 3978 est un recueil de même nature, il n'y a pas lieu d'en donner ici une description détaillée.

*Note additionnelle sur quelques-uns des noms des églises cathares
dans le catalogue de Raynier.*

Quelques-uns des noms des églises cathares donnés par Raynier
prêtent lieu à des difficultés d'identification. La tradition manuscrite n'a
pas toujours respecté les formes originales et des interprétations trop
fantaisistes ont encore enchevêtré les problèmes. Quatre noms sont
à éclaircir : Concorrezo, Baiolo, Philadelphia et Dugunthia.

a) *Concorrezo* : Avec une désinvolture surprenante chez cet auteur,
Schmidt (Histoire et doctrine..., t. 2, p. 285) traduit ce nom par *Goertz*
(Gorizia) au nord de Trieste. Cette interprétation a été le plus souvent
suivie par les historiens postérieurs. Il suffit cependant de remarquer
que cette église est cataloguée par Raynier parmi les églises de Lombardie pour être assuré qu'il ne s'agit pas d'une ville Dalmate. Aussi
bien *Concorrezo* est la cité de *Concorezzo* dans le Milanais (3839 ha-
bitants). On trouve aussi dans d'autres sources les formes *Concorregio,
Correrio,* qui pourraient faire songer à *Corregio,* dans le duché de Mo-
dène, mais la lecture de Raynier *Concorrezo* est assurée.

b) *Baiolo* est la petite ville de Bagnolo, dans la province de *Brescia*
(6021 hab.).

c) *Philadelphia in Romania.* L. Léger, L'hérésie des Bogomiles en
Bosnie et en Bulgarie au moyen âge (Revue des Questions historiques,
t. 8. Paris 1870, p. 494), a voulu identifier cette ville avec Philippopolis
de Thrace (*Plovdiv,* en Bulgarie). Cette lecture a été acceptée. L'argumentation de Léger est celle-ci : Les Bogomiles sont établis en Thrace;
il n'y a pas de Philadelphie dans cette province. On sait d'autre part
que Philippopolis était un centre hérétique paulicien; Philadelphie de
Raynier est donc Philippopolis. Ce raisonnement spécieux ne supporte
pas la critique. Sacconi dit *Philadelphia in Romania.* La *Romania* médiévale est l'empire romain d'Orient, comprenant la province d'Asie
Mineure (voir Du Cange au mot *Romania*). Existe-t-il au moyen âge
une ville du nom de Philadelphie dans l'empire d'Orient? Oui, Philadelphie de Lydie (*Alachehr*), non loin de l'ancienne Laodicée. Cette
ville n'a cessé d'appartenir à l'empire qu'à la fin du XIVe siècle, lors de
la conquête par les turcs de Bajazet Ier. Si Raynier distingue la *Romania* de la *Bulgaria,* ce n'est pas pour replacer *Philadelphia* en Trace.
D'ailleurs l'existence d'églises cathares en Asie est assurée par les actes
du concile de Saint-Félix de Caraman.

d) *Dugunthia*. Ce nom est la croix des historiens du catharisme. Le nom se présente sous des formes multiples dans les manuscrits de Raynier: *Digunnicie, Digunithie, Bugunchie, Hungungie*, etc. Dans d'autres sources nous relevons: *Brugutia, Druguria, Dorgovetis*. Avec la même facilité avec laquelle il a transformé *Concorrezo*, Schmidt (l. c., t. 1 p. 16) a traduit *Dugunthia* en *Tragurium* (Trau), sur la côte Dalmate, près de Spalato. Les variantes du nom n'autorisent absolument pas de retrouver la forme *Tragurium* à l'origine de leur tradition. D'autre part le nom de *Tragurium* était trop familier aux latins du moyen âge pour avoir prêté à de telles déformations, le vrai nom aurait été vite rétabli si une faute de copiste s'était introduite.

Léger (l. c., p. 493) a été mieux inspiré de chercher *Dugunthia* en Bulgarie ou en Macédoine; il proposait, à partir du grec Δραγουβιταί de lire un mot de la forme *Drogowetia* (Δραγοβιτια Dragoviça), pays des dragoviciens. Il est possible de rejoindre de près cette forme à partir de la tradition manuscrite. Les multiples variantes du nom donné par Raynier ne représentent au total qu'une forme originale. Celle-ci peut être corrigée par d'autres sources. Il est vraisemblable que le texte de la Somme avait un nom sans la consonne r dans la première syllabe, aucune des variantes ne possède cette lettre. Par contre les trois autres formes recueillies dans des documents indépendants ont toutes un r dans leur racine. La *Brevis summula contra errores notatos hereticorum* (cf. supra p. 17) a la forme *brugucia*; la source médiévale de Vignier (supra p. 28) dit de Nicétas qu'il conféra l'ordre de *Druguriae* à l'évêque Marc. Nous avons relevé *dorgovetis* dans le *Liber contra manicheos* du ms. Paris Nat. Lat. 689 (fol. 85rb). La dernière forme n'a pas été latinisée; elle suggère le nom de *Drogowetia* avancé par Léger. Ces noms nous ramènent dans le sud de la Thrace (Plovdiv) et en Macédoine. On sera tenté de placer dans ces contrées l'église de *Dugunthiae* (*Dorgovetis*) de Raynier.

Notons cependant la forme historique *Diniguttia* (Δινογέτεια) très voisine de *Digunithia* de certains manuscrits de la Somme, ville ancienne située en Mysie, sur le Danube (voir. A. Baudrand, *Lexicon Geographicum in quo universi orbis Urbes... et Flumina recensentur*, Paris 1670, p. 249; W. Smith, *A Dictionary of Greek and Roman Geography*, London 1878, p. 776). S'il fallait reconnaître dans ce nom celui de l'église désignée par Raynier, nous serions reportés en Bessarabie.

Summa fratris Raynerii
de ordine fratrum praedicatorum,
De Catharis et Pauperibus de Lugduno.

In nomine Domini nostri Iesu Christi. Cum sectae haereticorum olim fuerint multae, quae omnino fere destructae sunt per gratiam Iesu Christi, tamen duae principales modo inveniuntur, quarum altera vocatur Cathari sive Paterini, altera Leonistae seu Pauperes de Lugduno, quorum opiniones praesenti paginae annotantur.

De diversis sectis Catharorum. — Sciendum est itaque primum, quod prima secta, videlicet Catharorum divisa est in tres partes sive sectas principales, quarum prima vocatur Albanenses, secunda Concorrenses, tertia Baiolenses, et hi omnes sunt in Lombardia. Ceteri vero Cathari sive sint in Tuscia, sive in Marchia, vel in Provincia, non discrepant in opinionibus a praedictis Catharis, sive ab aliquibus eorum. Habent igitur omnes Cathari opiniones communes in quibus conveniunt, et proprias in quibus discordant, de quibus omnibus dicendum est: et primo de communibus.

De communibus opinionibus Catharorum. — Communes opiniones omnium Catharorum sunt istae, scilicet quod diabolus fecit hunc mundum et omnia quae in eo sunt. Item quod omnia sacramenta Ecclesiae, scilicet sacramentum baptismi aquae materialis et cetera sacramenta nihil prosunt ad salutem, et quod non sunt vera sacramenta Christi et eius Ecclesiae, sed deceptoria et diabolica, et ecclesiae malignantium. Quot vero sacramenta et quae et qualia habeant praedicti haeretici, dicetur inferius. Item communis opinio Catharorum est omnium quod matrimonium carnale fuit semper mortale peccatum, et quod non punietur quis gravius in futuro propter adulterium vel incestum, quam propter legitimum coniugium, nec etiam inter eos propter hoc aliquis gravius puniretur. Item omnes Cathari negant carnis resurrectionem futuram. Item credunt quod comedere carnes et ova vel caseum, etiam in urgenti necessitate sit peccatum mortale, et hoc ideo quia nascuntur ex coitu. Item quod non licet iurare in aliquo

---

Nous relevons les principales variantes de Martène = M   21 materialis: M naturalis

casu, et hoc ideo esse mortale peccatum. Item quod potestates saeculares peccant mortaliter puniendo malefactores vel haereticos. Item quod nemo potest fieri salvus nisi per eos. Item quod omnes parvuli etiam baptizati non levius aeternaliter punientur quam latrones et homicidae. Sed in hoc
5 videntur dissentire aliquantulum Albanenses, sicut infra dicetur. Item omnes negant purgatorium.

D e s a c r a m e n t i s C a t h a r o r u m . — Cathari namque ad instar simiarum quae hominis actus imitari conantur, quatuor habent sacramenta, falsa tamen et inania, illicita et sacrilega, quae sunt impositio manus, panis
10 benedictio, paenitentia et ordo, de quibus per ordinem est dicendum.

D e m a n u s i m p o s i t i o n e . — Manus impositio vocatur ab eis c o n s o l a m e n t u m et spirituale baptismum, sive baptismum spiritus sancti, sine qua secundum eos nec peccatum mortale remittitur, nec spiritus sanctus alicui datur, sed per eam factam solummodo ab eis utrumque con-
15 fertur. Differunt tamen aliquantulum in hoc Albanenses a ceteris. Albanenses enim dicunt quod manus ibi nihil operatur, cum a diabolo sit ipsa creata secundum eos, ut infra dicetur, sed sola Dominica oratio quam ipsi tunc dicunt, qui manus imponunt. Ceteri vero omnes Cathari dicunt quod utrumque est ibi necessarium et requiritur, scilicet manus impositio et Dominica
20 oratio. Est etiam communis opinio omnium Catharorum quod per illam impositionem manus non fit aliqua remissio peccatorum si illi qui manum imponunt sunt tunc in aliquo peccato mortali. Fit autem haec manus impositio a duobus ad minus, et non solum a praelatis eorum sed etiam a subditis, et in necessitate a Catharabus.
25 D e f r a c t i o n e p a n i s . — Panis benedictio Catharorum est quaedam fractio panis quam ipsi quotidie faciunt, tam in prandio quam in coena. Fit autem huiusmodi fractio panis hoc modo. Cum ingressi sunt ad mensam Cathari sive Catharae, stantes omnes dicunt « Pater noster ». Interim qui prior est professione vel ordine tenet panem unum, vel plures si
30 necesse est ad multitudinem quae ibi forte esset, et, dicendo « Gratia Domini nostri Iesu Christi sit semper cum omnibus nobis », frangit panem, sive panes, et distribuit omnibus discumbentibus, non solum Catharis sed etiam credentibus suis, latronibus, adulteris et homicidis. Verumtamen Albanenses dicunt quod panis ille corporalis non benedicitur nec potest acci-
35 pere aliquam benedictionem, cum ipse panis sit creatura diaboli secundum eos, et in hoc differunt a ceteris omnibus, qui dicunt quod ille panis vere benedicitur. Nemo tamen ex eis credit quod ex illo pane conficiatur corpus Christi.

---

1 potestates: M potentes   4 levius: M lenius   5 Item quod omnes M
18 omnes om M   22 haec: M huius   29 panem... plures: M panem et vinum, vel etiam plures   34 corporalis om M   34 benedicitur corporaliter M   36 qui: M quod.

De falsa paenitentia Catharorum. — Nunc dicendum
est qualis sit paenitentia Catharorum. Paenitentia Catharorum omnino falsa
est et vana, deceptoria et venenosa sicut subsequenter ostenditur. Tria namque requiruntur in vera paenitentia, scilicet cordis contritio, oris confessio
et operis satisfactio. Ego autem frater Ranerius, olim haeresiarcha, nunc   5
Dei gratia sacerdos in ordine Praedicatorum licet indignus, dico indubitanter et testificor coram Deo, qui scit quod non mentior, quod aliquod illorum
trium non est inter Catharos sive in paenitentia eorum. Erroris namque
venenum, quod ex ore antiqui serpentis biberunt, non sinit eos de peccatis suis
aliquem habere dolorem. Hic autem error quadruplex est, scilicet quod pro ali-   10
quo peccato nec gloria aeterna alicui paenitenti diminuitur, nec poena inferni
non paenitenti augetur, et quod ignis purgatorius nemini reservatur sed impositione manus culpa et poena a deo totaliter relaxatur. Non enim gravius
punietur Iudas proditor quam infans diei unius, sed omnes erunt aequales
tam in gloria quam in poena sicut ipsi credunt exceptis Albanensibus, qui   15
dicunt quod quisque restituetur in statum pristinum, non tamen propriis
meritis, et quod in utroque regno, dei scilicet et diaboli, alii aliis sunt maiores.

Ad haec etiam dico amplius quod multi ex eis, qui infecti sunt erroribus
memoratis, saepe dolent dum recolunt quod non adimpleverunt saepius
libidinem suam tempore quo nondum professi fuerant haeresim Catharorum.   20
Et haec est etiam causa quare multi credentes tam viri quam mulieres non
timent magis accedere ad sororem suam vel fratrem, filiam seu filium, neptem
vel [nepotem], consanguineam vel cognatum quam ad uxorem et virum
proprium. Tamen aliqui ex eis horribilitate ac humana verecundia fortasse
ab huiusmodi retrahuntur.   25

Probatur etiam manifeste quod non dolent de peccatis suis, quae ante
professionem haeresis suae commiserunt, pro eo quod nulli homini resti-
tuunt usuram, furtum aut rapinam; immo reservant eam sibi vel potius
relinquunt filiis vel nepotibus suis in saeculo permanentibus. Ipsi etiam dicunt usuram nullum esse peccatum.   30

Praeterea dico indubitanter quod in annis xvii quibus conversatus sum cum
eis non vidi aliquem ex eis orare secreto seorsum ab aliis, aut ostendere se
tristem de peccatis suis sive lacrymari vel percutere pectus et dicere:
« Propitius esto, Domine, michi peccatori », sive aliquid aliud huiusmodi,
quod sit signum contritionis. Nunquam etiam implorant auxilium vel patro-   35
cinium angelorum, sive beatae Virginis, vel sanctorum, neque muniunt se
signo crucis.

---

8 est inter: *M* cernitur apud   19 dum: *M* cum   21 etiam *om M*   22 neptem... consanguineam: *M* nepotem consanguineum   24 ex eis: *M* huiusmodi ex
26 etiam: *M* et   29 filiis: *M* filiae   29 etiam: *M* tamen   34 michi *om M*
34 aliud *om M*   36 beatae Mariae *M*.

De confessione Catharorum. — Nunc de confessione Catharorum dicendum est, quae et qualis sit, et quando faciunt eam, et quibus confitentur. Confessio eorum fit hoc modo: « Ego sum hic coram deo et vobis ad faciendum confessionem et ad ponendum me in culpam de omnibus
5 peccatis meis quae sunt in me usque modo, et ad recipiendum de omnibus veniam a deo et a vobis ». Fit etiam ista confessio coram omnibus et publice qui sunt ibi congregati, ubi multotiens sunt centum vel plures viri et mulieres Cathari et credentes eorum. Et dictam confessionem facit unusquisque eorum quando recipit supradictam manus impositionem; et eam
10 facit principaliter praelato eorum tenenti codicem evangeliorum vel totius novi testamenti ante pectus suum, qui, facta absolutione, ponit librum super caput eius, et alii Cathari qui adsunt manum dextram, incipientes consequenter suas orationes.

Quando autem quis eorum cadit in peccatum carnis, vel in aliud quod
15 sit secundum opinionem eorum mortale, post receptam manus impositionem, oportet eum confiteri illud peccatum tantum et non alia, et recipere iterum manus impositionem secreto a praelato suo et ab uno alio ad minus cum eo.

Item de venialibus fit confessio hoc modo. Unus pro omnibus loquens alta voce, omnibus inclinatis in terra coram praelato tenente librum ante
20 pectus suum, dicit: « Nos venimus coram deo et vobis ad confitendum peccata nostra quia multum peccavimus in verbo, opere, in visione et cogitatione » et cetera huiusmodi. Unde apparet manifeste quod omnes Cathari sine confessione moriuntur in peccatis suis. Et hoc modo confitentur semel in mense si commode possunt.

25 Nunc dicendum est si Cathari faciunt opera sua pro satisfactione peccatorum quae, priusquam profiterentur haeresim, commiserunt. Ad quod dico quod non, licet ignorantibus fortasse hoc mirabile videatur. Nam frequenter orant et ieiunant et abstinent se omni tempore a carnibus, ovis et caseo, quae omnia videntur esse satisfactoria pro peccatis eorum et de quibus ipsi
30 saepe inaniter gloriantur. Sed est in eis triplex error qui facit dicta opera non esse satisfactoria. Primus est quod culpa et poena dimittitur totaliter per suam manus impositionem et orationem, vel per orationem tantum iuxta Albanenses sicut supra dictum est. Secundus est quod deus nemini infert poenam purgatoriam, quam penitus esse negant, neque temporalem, quam
35 a diabolo inferri putant in hac vita. Hinc etiam dicendum est quod praedicta opera non iniunguntur eis cum fiunt Cathari in paenitentiam sive in remissionem peccatorum suorum. Tertius est quod tenetur quilibet necessario facere illa opera tamquam praecepta dei. Ita puer x annorum qui nun-

---

10 vel: *M* et   13 consequenter: *M* quaerunt   31 dimittitur totaliter: *M*
totaliter dimittuntur   32 vel: *M* et   36 fiunt: *M* fuerint.

quam ullum omnino peccatum mortale commiserat antequam fieret Catharus,
sicut senex qui nunquam a peccato cessavit. Non enim gravius puniretur
aliquis Catharus apud eos si biberet toxicum volens se occidere, quam si
pro morte vitanda comederet pullum de consilio medicinae vel in aliquo alio
casu necessitatis, nec etiam in futuro gravius punietur secundum eos. Idem 5
etiam dicunt de matrimonio sicut supra ostensum est.

Item eleemosynas paucas aut nullas faciunt, nullas extraneis nisi forte
propter scandalum vicinorum suorum vitandum et ut honorificentur ab eis,
paucas suis pauperibus. Et est triplex ratio. Quarum prima est quia non
sperant habere inde maiorem gloriam in futuro, nec suorum veniam pecca- 10
torum. Secunda est quia omnes fere sunt avarissimi et tenaces, et est causa
quia pauperes eorum, qui tempore persecutionis non habent victui necessaria
vel ea quibus possint restaurare suis receptatoribus res et domos, quae pro
eis destruuntur, vix possunt invenire aliquem qui velit eos tunc recipere,
sed divites Cathari multos inveniunt. Quare quilibet eorum si potest divitias 15
sibi congregat et conservat.

Praeterea non est praetermittendum de oratione eorum, quando ipsi putant eam necessario dicendam et maxime quando sumunt cibum vel potum.
Siquidem multi ex eis in suis infirmitatibus dixerunt aliquando eis, qui mi-
nistrabant eis, quod ipsi non ponerent aliquid cibi vel potus in os eorum 20
si illi infirmi non possent dicere « Pater noster » ad minus, unde verisimile
est quod multi ex eis occiderunt seipsos hoc modo.

Ex praemissis itaque apparet apertissime quod Cathari nullam faciunt
paenitentiam, maxime cum non habeant contritionem de peccatis, nec ea
confiteantur, nec pro eis satisfaciant, quamvis multum se affligant et quod 25
pro suis erroribus in aeternum gravissime punientur.

Nunc dicendum est de quarto et ultimo sacramento Catharorum, scilicet de ordine. Et primo quot ordines habent; secundo de nominibus eorum;
tertio de officio cuiusque ordinis; quarto et quinto a quibus et quomodo
fiunt. Ultimo additur quot et ubi sunt ecclesiae Catharorum. 30

De ordinibus Catharorum et officiis eorum. —
Ordines Catharorum sunt quatuor. Ille qui est in primo et maximo ordine
constitutus vocatur episcopus. Ille qui in secundo, filius maior. Ille qui in
tertio, filius minor. Et qui in quarto et ultimo, dicitur diaconus. Ceteri qui
sunt inter eos sine ordinibus vocantur Christiani et Christianae. 35

De officiis episcoporum. — Officium episcopi est tenere
semper prioratum in omnibus quae faciunt, scilicet in impositione manus,

---

3 biberet: *M* bibat   4 alio *om M*   5 punietur: *M* puniretur   9 quarum
om M   10 habere inde: *M* hinc   13 receptatoribus: *M* receptoribus   16 *tertia
ratio deest*   17 quando: *M* quam   18 eam *om M*   23 itaque apparet : *M* igitur
23 apertissime patet *M*   35 sunt *om M*.

in fractione panis et incipiendo orare. Idem servat filius maior absente episcopo; similiter facit filius minor absente episcopo et filio maiore.

Praeterea isti duo filii simul vel separatim discurrunt visitando Catharos
5 et Catharas omnes qui sunt sub episcopo et omnes tenentur obedire eis. Similiter in omnibus servant et faciunt diacones unusquisque in suis subditis absentibus episcopo et filiis. Et est notandum quod episcopi et filii habent in singulis civitatibus, maxime in quibus morantur Cathari, singulos diacones.

D e o f f i c i o d i a c o n o r u m . — Item officium diaconorum est
0 audire confessionem peccatorum venialium a subditis suis quae fit semel in mense, de qua supra dictum est, et facere eis absolutionem iniungendo eis tribus diebus ieiunium sive centum inclinationes flexis genibus; et appellatur istud servitium, ut ita loquar, caregare servitium.

Q u o m o d o o r d i n a t u r e p i s c o p u s . — Fiunt vero ordines
5 praedicti ab episcopo et etiam a filiis de licentia episcopi. Ordinatio autem episcopi consueverat fieri in hunc modum. Mortuo episcopo filius minor ordinabat filium maiorem in episcopum, qui postea ordinabat filium minorem in maiorem filium. Postea eligitur filius minor ab omnibus praelatis et subditis qui sunt congregati ubi fit dicta electio, et ab episcopo in minorem filium
0 ordinatur. Et haec ordinatio filii minoris non est mutata inter eos. Illa vero quae supra dicitur de episcopo mutata est ab omnibus Catharis morantibus citra mare, dicentibus quod per talem ordinationem videtur quod filius instituat patrem, quod satis apparet incongruum. Unde fit modo aliter in hac forma, scilicet quod episcopus ante mortem suam ordinat filium maiorem
5 in episcopum, altero istorum mortuo, filius minor efficitur filius maior et episcopus eadem die. Et ita fere quaelibet ecclesia Catharorum habet duos episcopos. Unde Iohannes de Lugio qui est unus ex illis taliter ordinatis, semper describit se in epistolis suis sic: « Iohannes dei gratia filius maior et ordinatus episcopus » et cetera.

0 Verumtamen utraque ordinatio est reprehensibilis manifeste, quia nec unquam filius carnalis suum instituit genitorem et nusquam legitur quod una et eadem ecclesia habuit eodem tempore duos episcopos, sicut nec una mulier duos legitimos viros.

M o d u s o r d i n a n d i . — Fiunt autem omnes ordines supradicti cum
impositione manus, et attribuitur illa gratia, scilicet conferendi ordines memoratos et dandi spiritum sanctum, soli episcopo eorum vel cuilibet eorum qui est prior vel auctor in tenendo librum Novi testamenti super caput illius cui imponitur manus.

N o t a b i l i s d u b i e t a s i n t e r e o s . — Proinde omnes Cathari

---

33 legitimos *om* M   36 cuilibet eorum qui : *M* alii quicumque.

laborant in maximo dubio et periculo animae. Verbi gratia si praelatus eorum et maxime episcopus occulte commiserit aliquod mortale peccatum, quales etiam olim multi reperti sunt inter eos, omnes illi quibus ille manum suam imposuit sunt decepti et pereunt si in eo statu decedunt. Et causa huiusmodi periculi evitandi omnes ecclesiae Catharorum, una excepta solum- 5 modo vel duabus, receperunt secundo, et aliquae tertio, consolamentum, id est manus impositionem, quod est baptismum eorum ut supra dictum est, et de praedictis est fama publica inter eos.

Hae   sunt   ecclesiae   Catharorum. — Sunt autem xvi omnes ecclesiae Catharorum. Nec imputes michi, lector quod eas nominavi 10 ecclesias, sed potius eis, quia ita se vocant.

Ecclesia Albanensium vel de Donnezacho. Ecclesia de Concorrezo. Ec- clesia Baiolensium sive de Baiolo. Ecclesia Vincentina sive de Marchia. Ec- clesia Florentina. Ecclesia de Valle Spoletana. Ecclesia Franciae. Ecclesia Tolosana. Ecclesia Carcassonensis. Ecclesia Albigensis. Ecclesia Sclavoniae. 15 Ecclesia Latinorum de Constantinopoli. Ecclesia Graecorum ibidem. Ecclesia Philadelphiae in Romania. Ecclesia Burgariae. Ecclesia Dugunthiae. Et omnes habuerunt originem de duabus ultimis.

Loca   in   quibus   morantur. — Prima, scilicet Albanenses mo- rantur Veronae et in pluribus civitatibus Lombardiae et sunt numero fere 20 circiter quingenti utriusque sexus. Illi autem de Concorrezo diffusi sunt fere per totam Lombardiam et sunt utriusque sexus M et D, et plures etiam. Baiolenses Mantuae, Brixiae, Bergami et in comitatu Mediolani sed pauci, et in Romaniola, et sunt CC. Ecclesia de Marchia nihil habent Veronae et sunt circiter C. Illi de Tuscia et de Valle Spoletana fere C. Ecclesia Franciae 25 morantur Veronae et in Lombardia, et sunt circiter CL. Ecclesia Tolosana et Albigensis et Carcassonensis cum quibusdam qui olim fuerunt Agennensis ecclesiae quae fere destructa est, sunt fere CC. Ecclesia Latinorum in Con- stantinopoli sunt fere L. Item ecclesia Sclavoniae et Philadelphiae et Grae- corum, Burgariae et Dugunthiae omnes simul fere D. O lector, dicere potes 30 secure quod in toto mundo non sunt Cathari utriusque sexus numero quatuor millia, et dicta computatio pluries olim facta est inter eos.

De   propriis   opinionibus   Albanensium. — Supra osten- sum est de communibus opinionibus et sacramentis sive de ministris Catha- rorum. Ammodo dicendum est de propriis. Et primo de Ecclesia Albanen- 35

---

17 Pour les noms de Concorrezo, Baiolo, Philadelphia in Romania et Dugun- thia voyez plus haut pp. 62-63.   24 Après *Marchia* il faudrait suppléer *morantur Vicentiae sed.*   32 Les chiffres donnés par Raynier ne comprennent que les Ca- thares profès et non les simples croyants. Si ces chiffres paraissent peu élevés on notera qu'en 1250 le catharisme était en pleine régression.

sium, qui alio nomine dicuntur de Donnezacho, eo quod errant in pluribus quam ceteri.

Primo igitur notabiliter sciendum est quod isti Albanenses divisi sunt in duas partes in opinionibus contrariis et diversis. Unius partis caput est Bala- sinansa Veronensis eorum episcopus; et eum sequuntur plurimi antiquiores et pauci iuvenes eius sectae. Alterius vero partis caput est Iohannes de Lugio Bergamensis, eorum filius maior et ordinatus episcopus. Et hunc se- quuntur econverso iuniores et pauci antiquiores et ista pars est maior satis quam prima.

De opinionibus Balazinansae — Prima pars tenet opiniones antiquas quas omnes Cathari et Albanenses habebant in annis Domini cur- rentibus M CC usque ad annos currentes M CC XXX ita quod opiniones istorum proprie praeter communes supra scriptas hae sunt. Scilicet quod sunt duo principia ab aeterno, videlicet boni et mali.

Item quod trinitas, scilicet pater et filius et spiritus sanctus, non est unus deus, sed quod pater est maior filio et spiritu sancto.

Item quod utrumque principium, sive uterque deus, creavit suos angelos et suum mundum et quod iste mundus est creatus factus et formatus a malo deo et omnia que in eo sunt.

Item quod diabolus cum suis angelis ascendit in caelum et facto ibi proelio cum Michaele archangelo et angelis boni dei extraxit inde tertiam partem creaturarum dei, et infundit eas quotidie in humanis corporibus et in brutis et etiam de uno corpore eas transmittit in aliud, donec omnes re- ducerentur in caelum. Vocantur autem istae dei creaturae secundum eos « Populus dei » et « Animae » atque « Oves Israel » et etiam multis aliis nominibus.

Item quod dei filius non assumpsit humanam naturam in veritate sed eius similem ex beata Virgine, quam dicunt fuisse angelum, nec vere comedit nec vere bibit nec vere passus est nec vere mortuus et sepultus nec eius re- surrectio fuit vera, sed fuerunt haec omnia putative, sicut de eo legitur in Luca: « ut putabatur, filius Ioseph ». Similiter dicunt de omnibus mira- culis quae Christus fecit.

Item quod Abraham, Isaac et Iacob et Moyses et omnes antiqui patres atque Iohannes Baptista fuerunt inimici dei et ministri diaboli.

Item quod diabolus fuit auctor totius Veteris testamenti exceptis his libris: Iob, Psalterio, libris Salomonis, Sapientiae, Iesu filii Syrach, Isaiae, Ieremiae, Ezechielis, Danielis et duodecim prophetarum, quorum quosdam dicunt esse scriptos in caelo, illos scilicet qui fuerunt scripti ante destructio- nem Ierusalem, quam dicunt fuisse caelestem.

---

1 Donnezacho : *M* Donzenacho   4 unius: *M* huius   6 caput *om M*.

Item quod mundus iste nunquam habebit finem.

Item quod iudicium futurum iam factum est nec amplius fiet.

Item quod infernus et ignis aeternus sive poenae aeternae sunt in isto mundo tantum et non alibi.

Siquidem praedictas opiniones tenebant omnes Albanenses in praedicto 5 tempore generaliter, exceptis simplicioribus quibus singula non revelabantur.

D e o p i n i o n i b u s I o h a n n i s d e L u g i o . — Opiniones vero Iohannis de Lugio supradicti et sequentium eum hic inferius describuntur. Et est primo sciendum quod dictus Iohannes adhuc tenet aliquas praedictarum opinionum et quasdam penitus mutavit in peius, necnon errores alios con- 10 finxit ut subsequenter apparet.

D e d u o b u s p r i n c i p i i s . — Fingit namque dictus Iohannes de Lugio Albanensis quod duo sunt principia sive dii vel domini ab aeterno, unum scilicet boni et alterum mali, sed diversimode quam primi ut infra apparebit. Trinitatem vero et unitatem iuxta fidem catholicam in deo penitus negat. 15

Q u i b u s n o m i n i b u s v o c a t p r i n c i p i u m m a l u m . — Primum principium mali, iuxta quod ipse asserit, vocatur in divinis scripturis multis nominibus. Dicitur enim malitia, iniquitas, cupiditas, impietas, peccatum, superbia, mors, infernus, calumnia, vanitas, iniustitia, perditio, confusio, corruptio et fornicatio. Et etiam dicit quod omnia supradicta vitia sunt 20 dii vel deae et quod habent suum esse a malitia quam asserit esse causam primam, et quod ipsa causa prima aliquando significatur per praedicta vitia.

Praeterea dicit quod malum principium notatur per linguam de qua beatus Iacobus dicit quod est « inquietum malum et plenum veneno mortis ». Similiter per diem de quo ait Dominus in evangelio: « Sufficit diei malitia 25 sua ». Item notatur per illud verbum Apostoli ad Corinthios secunda: « Est et non ». Item vocatur mons Seyr, de quo in Ezechiele dicitur: « Eo quod fueris inimicus sempiternus Domini ». Dicitur etiam venter, de quo ait Apostolus: « Quorum deus venter est ».

Praeterea dicit quod idola gentium quae leguntur per totam seriem Ve- 30 teris testamenti naturaliter sunt dii mali, hoc est maligni spiritus, et quod ipsi gentiles faciebant imagines eorum ut eos amplius colerent. Quid plura? Taedium est mihi scribere multa fabulosa quae dictus Iohannes scripsit de praedictis vitiis et idolis ut suos asserere conaretur errores.

D e o p i n i o n e I o h a n n i s d e L u g i o d e c r e a t i o n e 35 e t q u i d s i t c r e a t i o s e c u n d u m s e i p s u m . — Consequenter dicendum est quid credit dictus Iohannes de creatore omnium visibilium et invisibilium. Et primo quid sit creare; secundo si creaturae factae sunt

---

ex nihilo vel creatae; tertio utrum creaturae boni dei fuerint creatae bonae simpliciter et pure sine malitia aliqua; quarto si unquam fuerit in aliquo libertas arbitrii.

Creare secundum eum est ex aliqua praeiacenti materia aliquid facere et sic semper sumitur et non ex nihilo. Et distinguit creare tripliciter: primo de bono in melius, et secundum hanc distinctionem Christus fuit a patre creatus sive factus. Unde illud Isaiae: « Ego dominus creavi eum ». Et ait Apostolus: « Pontifex factus in aeternum ».

Secundo dicitur creare de malo in bonum, iuxta illud Apostoli: « Ipsius sumus factura, creati in Christo Iesu ». Et illud Genesis: « In principio creavit deus caelum et terram ». Quod sic exponit: « In principio », hoc est in filio, qui ait: « Ego principium qui et loquor vobis ». Et dicit expresse dictus Iohannes quod tunc creavit deus pater caelum et terram non ex nihilo sed ex aliquo ad aliquod bonum, sicut illi de quibus dicit Apostolus: « Creati in Christo in operibus bonis ».

Tertio dicitur creare ex malo in peius facere, ad quod inducit illud in Codice in titulo De haereticis et Manichaeis: « Omnes vetitae divinis legibus et imperialibus constitutionibus haereses » et cetera usque ad « ministros creare quod non sunt ». Dicit itaque quod omnes creaturae sunt ab aeterno bonae creaturae cum deo bono et malae cum malo deo, et quod creatores non praecedunt creaturas aeternitate sed causa et quod creaturae ex deo sunt ab aeterno sicut splendor vel radii in sole qui non praecedit radios suos tempore, sed tantum causa vel natura.

Item dicit quod iste mundus est a diabolo vel potius a patre diaboli et quod nunquam habuit principium, nec finem habebit.

Item intelligit quod bonus deus habeat alterum mundum in quo sunt homines et animalia et omnia similia istis visibilibus et corruptibilibus creaturis, et ibidem fiunt coniugia et fornicationes et adulteria, ex quibus procreantur infantes et, quod etiam turpius est, quod populus boni dei duxerunt contra praeceptum ipsius ibidem filias alienigenas in uxores, id est filias alieni dei, sive malorum deorum et ex tali coitu inhonesto et prohibito nati sunt gigantes et multi alii diversis temporibus.

---

2 malitia: *M* materia   5 semper *om M*   5 tripliciter: *M* triplex   6 Christus: *M* ipse   12 Ego *om M.*   12 qui: *M* quod   17 vetitae: *M* creatae   19 quod non: *M* qui nunc   27 animalia: *M* alia.

17-19 ' Omnes vetitae legibus et divinis et imperialibus constitutionibus haereses perpetuo conquiescant et nemo ulterius conetur quae reppererit profana praecepta vel docere vel discere: ne antistites eorundem audeant fidem insinuare, quam non habent, et ministros creare, quod non sunt ': Codex Justinianus, Digesta, De haereticis et Manichaeis I 5 2 (Corpus iuris civilis, Berolini 1892 t. 2, p. 50).

An deus bonus creavit suas creaturas sine ma-
litia. — Nunc dicendum est si deus bonus creavit creaturas suas puras
sine malitia aliqua. Ad hoc autem praetermittendae sunt multae blasphemiae
quas ipse Iohannes dicit, videlicet, quod deus non est omnipotens. Dicit
tamen quod deus vult et potest omnia bona quantum in ipso est et in suis   5
creaturis quae sibi necessario obtemperant; sed impeditur haec dei voluntas
et potentia ab hoste suo.

Item quod alteruter agit in alterutrum ab aeterno, et quod causa mala
id est deus malus agit in deum verum et in eius filium atque in cuncta eius
opera ab aeterno. Ad haec inducit multas auctoritates ut est illud verbum   10
domini ad Satan in Iob: « Tu autem commovisti me adversus Iob ut affligerem eum frustra ». Et iterum Iob ad deum: « Mutatus es mihi in cru-
delem ».

Item dicit quod ille qui est summus in malo plus potest quam creaturae
quae sunt infra summum deum in bono. Unde concludit ex praemissis quod   15
bonus deus non potuit perfectas facere creaturas suas quamvis hoc voluerit,
et hoc sibi et creaturis suis accidit propter resistentiam mali dei qui actum
suum sive quamdam malitiam ab aeterno inseruit in eas, ex qua malitia creaturae habuerunt posse peccare. Et ad hoc inducit illud in Ecclesiastico:
« Qui potuit transgredi et non est transgressus; et malum facere et non   20
fecit », quod totum simpliciter exponit de Christo. Et illud Iob: « In angelis
suis reperit pravitatem ». Et iterum: « Stellae non sunt mundae» et cetera.
Et illud in principio Genesis: « Sed et serpens erat callidior cunctis animantibus quae fecerat deus ». Et inde sic infert: ergo cuncta animantia callidi-
tate participant, sed plus omnibus serpens et ideo per eum facta est deceptio.   25
Ad praedicta etiam facit aliud quod ipse dicit, scilicet quod nihil est quod
habeat liberum arbitrium, etiam deus summus, qui etiam non potuit perficere
suam voluntatem propter resistentiam hostis sui.

Item dicit quod omnis creatura dei boni duxit potentiam ad actum de-
cepta errore, quem etiam dicit esse deum summum in malo, excepto Christo   30
in quo illa potentia peccandi, sive vis transgressionis ita oppressa est per
summum bonum ut caruerit suo effectu, quod mirabile atque insolitum fuit
ipsi Christo. Ideoque laudabilis est, sicut de eo dicitur in libro Sapientiae:
« Quis est hic? et laudabimus eum » et cetera, et omnes aliae creaturae dei
boni vituperabiles extiterunt. Ad hoc autem inducit illud Apostoli: « Vani-   35
tati enim creatura subiecta est non volens ». Et iterum: « Scimus quod
omnis creatura ingemiscit » et cetera.

Item dicit quod quando deus infert penam pro culpis creaturis suis, tunc
agit malum, nec facit secundum deum, immo servit adversario suo.

21 simpliciter: M semper   26 praedicta etiam: M praedictum   30 quem
M quam   30 deum: M domini   31 vis; M ius   39 facit: M conversatur.

Item dicit quod cum deus dicit: « Ego sum et non est alius deus » : et iterum: « Videte quod ego ipse sum deus », et similia, duplicando, tunc movetur ab adversario. Deus enim verus semel tantum loquitur et idipsum non repetit sicut dicit Iob.

5 Item dicit quod deus non praescit aliquod malum ex vi suae scientiae quia illud non fluit ab eo, sed praescit illud aliquando per adversarium suum.

Item credit quod verus deus propter peccata creaturarum eius induxit diluvium et destruxit Pentapolim et subvertit Ierusalem, et ut breviter dicam, omnia mala praedicta quae passus est populus Israel in Iudaea sive in terra 10 promissionis intulit eis verus deus motus ab adversario propter peccata quae ipsi fecerunt sicut dictus Iohannes ait et etiam putat praedicta omnia fuisse facta in quodam altero mundo dei veri.

Item credit quod animae dei transmittantur de corpore in corpus et quod omnes in fine liberabuntur a poena et a culpa.

15 Item iste Iohannes recipit totam bibliam sed putat eam scriptam fuisse in alio mundo, et ibidem esse formatos Adam et Evam.

Item credit quod Noe, Abraham, Isaac et Iacob et ceteri patriarchae et Moyses et Iosue et omnes prophetae et beatus Iohannes Baptista placuerunt deo et quod fuerunt homines in alio mundo.

20 Item quod Christus natus est ex patribus secundum carnem antiquis supra nominatis, et quod vere assumpsit carnem ex beata Virgine et vere passus est, crucifixus, mortuus et sepultus et resurrexit tertia die, sed putat quod omnia praedicta fuerunt in alio superiori mundo et non in isto.

Item quod in praedicto mundo totum humanum genus incurrit mortem 25 propter peccatum cui obedivit, quod peccatum appellatur a praedicto Iohanne principium et causa omnium malorum sicut saepe dictum est supra, et corporibus eorum ibidem sepultis, animae descenderunt necessario in infernum, id est in hunc mundum, et ad hunc infernum descendit Christus ut auxiliaretur eis.

30 Item credit quod ibidem fiet resurrectio mortuorum scilicet quod unaquaeque anima dei recipiet proprium corpus.

Item quod verus deus dedit in eodem mundo populo supradicto legem Moysi. Ibidem etiam offerebant sacerdotes hostias et holocausta pro peccatis populi, quae secundum legem praecipiebantur offerri.

35 Item in eodem loco Christus ad litteram fecit vera miracula, suscitando mortuos et illuminando caecos et pascendo de quinque panibus hordeaceis quinque millia virorum, exceptis mulieribus et parvulis.

---

5 scientiae : M essentiae   9 Israel : M Jerusalem   16 alio : M altero
23 fuerunt : M fiunt   27 ibidem sepultis : M defunctis ibidem.

Quid plura? Quidquid in tota biblia legitur fuisse in hoc mundo ipse in quodam alio mundo ad litteram fuisse convertit.

Quod Iohannes de Lugio fecit librum de erroribus. — Siquidem blasphemias et errores praedictos, et multos alios quos longum esset et etiam mihi taedium enarrare, finxit saepedictus Iohannes de 5 Lugio haeresiarcha et ex eis compilavit quoddam volumem magnum decem quaternorum cuius exemplarium habeo et perlegi et ex illo errores supradictos extraxi. Est etiam valde notandum quod dictus Iohannes et eius complices non audeant revelare dictos errores credentibus suis ne ipsi credentes discedant ab eis propter hos novos errores et propter divisionem quae horum 10 causa est inter Catharos Albanenses. Cathari Albanenses damnant et Concorrezenses et e converso.

Sequitur de propriis erroribus ecclesiae Catharorum de Concorrezo. — Isti bene sentiunt de uno principio tantum, sed multi ex eis errant in trinitate et unitate. 15

Item confitentur quod deus ex nihilo creavit angelos et quatuor elementa, sed errant credendo quod diabolus de licentia dei formavit omnia visibilia sive hunc mundum.

Item credunt quod diabolus formavit corpus primi hominis et in illud effudit unum angelum qui in modico iam peccaverat. 20

Item quod omnes animae sunt ex traduce ab ipso angelo.

Item reprobant totum Vetus testamentum, putantes quod diabolus fuit auctor eius exceptis illis tantummodo verbis quae sunt inducta in Novo testamento per Christum et Apostolos sicut illud: «Ecce Virgo concipiet» et cetera, et similia. 25

Item isti omnes damnant Moysen et ex illis multi dubitant de Abraham, Isaac et Iacob et ceteris patriarchis et etiam prophetis in speciali, et multi ex eis modo bene credunt de beato Iohanne Baptista quem olim omnes damnabant.

Item dicunt quod Christus non assumpsit animam humanam, sed fere 30 omnes credunt eum assumpsisse carnem de beata Virgine.

Errores Nazarii episcopi ipsorum. — Nazarius vero quondam eorum episcopus et antiquissimus coram me et multis aliis dixit quod beata Virgo fuit angelus et quod Christus non assumpsit naturam humanam sed angelicam sive corpus caeleste. Et dixit quod habuit hunc 35 errorem ab episcopo et filio maiore ecclesiae Bulgariae iam fere elapsis annis lx.

Praeterea notandum est quod omnes Cathari, qui confitentur Christum assumpsisse verum corpus humanum, negant illud corpus esse glorificatum et glorificandum, et dicunt quod Christus in die ascensionis suae deposuit illud 40

─────────────

6 quoddam *om* M   13 erroribus: *M* opinionibus   34 naturam: *M* animam.

in caelo aereo et iterum resumet illud in die iudicii et post iudicium resolvetur in praeiacentem materiam tanquam cadaver putridum.

Item dicunt quod anima beatae Virginis et Apostolorum omniumque sanctorum non sunt adhuc in gloria nec erunt usque in diem iudicii, sed
5 sunt in aere isto in quodam loco cum corpore Iesu Christi.

De Catharis Baiolensibus. — Nunc dicendum est de opinionibus ecclesiae de Baiolo.

Isti conveniunt cum praedictis Catharis de Concorrezo fere in omnibus opinionibus supradictis excepto hoc, scilicet quod dicunt quod animae sunt
10 creatae a deo ante mundi constitutionem et quod tunc etiam peccaverunt.

Item credunt cum praedicto Nazario quod beata Virgo fuit angelus et quod Christus non assumpsit naturam humanam ex ea, nec vere passus est aliquem dolorem in morte sed quod assumpsit corpus caeleste.

De Catharis Tholosanis, Albigensibus et Car-
15 cassonensibus. — Ultimo notandum est quod Cathari ecclesiae Tholosanae et Albigensis et Carcassonensis tenent errores Belezinansae et antiquorum Albanensium, et fere omnes ecclesiae Catharorum de ultra mare quas scripsi similiter.

Nulla vero ecclesia Catharorum concordat in omnibus ecclesiae de Con-
20 correzo. Ecclesia Franciae concordat cum Baiolensi. Illi vero de Marchia Tervisina et de Tuscia et de Valle Spoletana concordant cum dictis Baiolen- sibus in pluribus quam cum Albanensibus, sed paulatim trahuntur ad Albanenses.

Item omnes ecclesiae Catharorum se recipiunt ad invicem licet habeant
25 diversas et contrarias opiniones, praeter Albanenses et Concorrezenses qui se damnant adinvicem sicut supra dictum est. Si quis vero Catharus sive Cathara cuiuscumque sexus sit, praefatos errores confessus non fuerit, pro- prios vel saltem communes, tunc est dicendum de illo indubitanter quod ipse in hypocrisi mendacium loquitur, quod est proprium Catharorum teste Apo-
30 stolo qui de eis sic sine velamine prophetavit, nisi forte fuerit homo simplex vel novitius inter eos, talibus enim multis illorum secreta minime revelantur.

De haeresi Leonistarum sive Pauperum de Lug- duno. — Supra dictum est sufficienter de haeresi Catharorum. Nunc dicendum est de haeresi Leonistarum sive Pauperum de Lugduno. Dividitur
35 autem haec haeresis in duas partes. Prima pars vocatur Pauperes Ultramon- tani, secunda vero Pauperes Lombardi, et isti descenderunt de illis. Primi, scilicet Pauperes Ultramontani dicunt quod omne iuramentum est prohibitum in Novo testamento tanquam mortale peccatum. Et illud idem dicunt de iusti-

16 Belezinansae ; M Belezmansae   22-23 sed... Albanenses om M   35 haec om M.

tia saeculari, scilicet quod non licet regibus, principibus et potestatibus punire malefactores.

Item dicunt quod simplex laicus potest consecrare corpus domini. Credo etiam quod idem dicunt de mulieribus, quia haec non negaverunt michi.

Item quod ecclesia Romana non est ecclesia Iesu Christi.   5

De pauperibus Lombardis. — Pauperes Lombardi concordant cum primis in iuramento et iustitia saeculari. De corpore vero domini sentiunt peius quam primi, dicentes quod concessum est cuilibet homini sine peccato mortali consecrare illud.

Item dicunt quod ecclesia Romana est ecclesia malignantium, et bestia 10 et meretrix quae leguntur in Apocalypsi, et ideo dicunt nullum esse peccatum in quadragesima et in sextis feriis contra praeceptum ecclesiae comedere carnes dummodo fiat sine scandalo aliorum.

Item quod ecclesia Christi permansit in episcopis et aliis praelatis usque ad beatum Silvestrum et in eo defecit, quousque ipsi eam restauraverunt. 15 Tamen dicunt quod semper fuerunt aliqui qui deum timebant et salvabantur.

Item dicunt quod infantes salvantur sine baptismo.

Anno domini M CC L compilatum est fideliter per dictum fratrem Rainerium opus superius annotatum. Deo Gratias.

---

3 dicunt *om* M 4 non... michi: *M* nonnisi negaverunt.

LIBER DE DUOBUS PRINCIPIIS

Le style de l'auteur anonyme est difficile, incorrect. Cependant nous reproduirons le manuscrit autant que le permettra l'intelligence du texte, c'est à dire que nous respecterons ses lectures dans tous les cas où la négligence du copiste ne l'a pas rendu inintelligible. Les corrections conserveront la forme médiévale du manuscrit: par exemple nous lirons *spaciis* au lieu de *spanciis*, *etyops* (*aethyops*) pour *etyos*, *presumat* pour *presomat*, *biblie* pour *bibie* etc. Les corrections apportées par le manuscrit à une première forme seront relevées dans l'appareil. Quelques négligences du copiste, de moindre intérêt, ne seront pas retenues (absence d'un signe d'abrévation, ponctuation erronée etc.).

Les divisions du *De duobus principiis* n'existent pas dans le ms., elles ont été introduites pour mettre en valeur chacun des éléments qui le composent.

L'orthographe est mauvaise: à quelques lignes d'intervalle nous rencontrons les formes *hostendere* et *ostendere*, *honorem* et *onorem*, *oribilis* et *orror*, *equalate* et *equalante* (de *aequalare*) etc.; ces formes sont respectées, elles conservent au texte sa saveur originelle.

Quelques corrections à des textes bibliques sont apportées d'après la Vulgate (*V*).

Tous les mots ajoutés par nous sont entre crochets [ ]; il sera facile de se représenter l'état du ms.

Les titres des paragraphes, au minium dans le ms., sont reproduits en lettres italiques.

Sigles adoptés:

> *add. marg.* ajouté dans la marge du ms.
> *sup. lin.* ajouté au-dessus de la ligne dans le ms.
> *cor. ms.* corrigé dans le manuscrit
> *add. et del.* texte primitif, puis supprimé dans le ms.
> *coni.* (conieci) lecture proposée par nous
> *scripsi* pour signaler une correction par rapport au ms.

Quoniam miseria impedit animum recte cognoscere veritatem. p̄illoꝝ illuminatione ꞇ intelligentiu exortatione. ꞇ euā p̄ mei animi delectatione. quam uerū sit ꝓprestimosa d'uninaꝝ scriptuꝛaꝛ cū ueristimis argumentis aꝓ sui declarare. paꞇis ꞇ filii ꞇ spūs Ꞅꝯ auxilio inuocꝰꞇꝝ. d'duob; p̄incipii
E duob; aut p̄incipus ꞇ honore paꞇis sanctissimi uolui ichoare. seꞇentiā uniꝰ p̄incipii ꝛeprobando. quamuis hoc sit fere cōꞇ os religiosos. S; p̄mo sic. aut unū tm̄ ē p̄incipiū p̄incipale. aut plura imo q̄ aꝰ unū iuent ꞇ nō plura ut aut ipua. ꞇ bonū est necessariō siue malū. Gꝛ malū ū nō. qꝛ ab illū ū ꝓcederet tm̄ mala ꞇ nō boa. siꞇ xpꝰ i euglio bꞇ mathm̄ ꝛ malā ā arbor fruce malos siꞇ. nō pꝰ arbꝛ boa fruce malos facere. neq arbor mala fruce bonos facere. Et hā iacob; in epla aiꞇ. Nunqꝯ fons de coē foꝛamine emanat dulceꝝ ꞇ amaꝛā aquā? nunqꝯ pꝰ filii mei siꞇ uuas facere. aut uine siꞇ. siꞇ neq salsa dulceꝝ pꝰ facere aquā.
E plano ꞇꞇ nri aꝝ usaru hoc affirmat. S. qꝰ bonū est ꞇ scm̄ ꞇ iustū ꞇ sapiens atq ꝛectū. ꞇ eā puꝛa boitas appellaꞇ. ꞇ maior ꝓ ōī laude. siꞇ istis ꝛationib; ꞇ aliis ꝯsimilib; mias ꝓbare miꞇuꞇ. Aiꞇ ꞇꞇ i bꞇ filius syrac. Glificate dnm quacūciq; potueriꞇis suꝑ uale biꞇ adhuc. ꞇ admirabilis magnificentia ei. bn̄diceꞇes dnm exaltaꞇe illi quantā potestis. maioꝝ ē ōī lauꝛe. Et dauid aiꞇ. Magnꝰ dns ꞇ laudabilꝰ nimis. ꞇ magnitudiꝯ ei nō ē finis. Gꞇ iteꝝ. Magnꝰ dns nꞃ ꞇ magna uꝝꞇꞇꞇ. ꞇ sapie ei nō ē numeꝛi. Gꞇ paulꝰ aꝝ ꝛomanꝝ aiꞇ. Ꝯ ꝓfundo diuitiaꝝ sapie ꞇ sciē dei. q̄ iꝓꝑhēsibilia

[lower marginal notes:]
... Incipit p̄incipiꝰ
de malꞇis ꞇ p̄ꝯꝛꞇilibus eicienꝰd'
... lib; syrac ...

Ms. Firenze, Nazionale, I ıı 44, fol. ı r: Début du *De duobus principiis*.
(la reproduction est légèrement réduite).

Incipit liber de duobus principiis

Quoniam multi impediuntur recte cognoscere veritatem, pro illorum illuminatione et intelligentium exortatione, et etiam pro mei animi delectatione,
nostram veram fidem per testimonia divinarum scripturarum cum verissimis
5 argumentis proposui declarare, patris et filii et spiritus sancti auxilio
invocato.

De duobus principiis.

De duobus autem principiis ad honorem patris sanctissimi volui inchoare,
sententiam unius principii reprobando, quamvis hoc sit fere contra omnes
10 religiosos. Sed primo sic. Aut unum tantum est principium principale aut
plura uno. Si autem unum fuerit et non plura, ut aiunt imperiti, tunc bonum
erit necessario sive malum. Malum vero non, quia ab ipso iam procederent
tantum mala et non bona, sicut Christus in evangelio beati Mathei ait: « Mala
autem arbor fructus malos facit; non potest arbor bona fructus malos facere,
15 neque arbor mala fructus bonos facere ». Et beatus Iacobus in epistola ait:
« Numquid fons de eodem foramine emanat dulcem et amaram aquam? numquid potest, fratres mei, ficus uvas facere, aut vitis ficus? Sic neque salsa
dulcem potest facere aquam ».

De bonitate dei.

20 De plano enim nostri adversarii hoc affirmant, scilicet quod bonum est
et sanctum et iustum et sapiens atque rectum, et etiam pura bonitas appellatur, et maior est omni laude, sicut istis rationibus et aliis consimilibus multis probare nituntur. Ait enim Ihesus filius Syrac: « Glorificate dominum
quantumcumque potueritis, supervalebit adhuc; et admirabilis magnificentia

---

19 De.. dei (?) *rub. vix legibilis in marg.*   23 pprobare (!) *ex* approbare *cor. ms*

---

13 Matth. 7, 17–18   15 Iacob. 3, 11-12   23 Eccli. 43, 32-33

eius. Benedicentes dominum exaltate illum quantum potestis, maior enim est omni laude ». Et David ait: « Magnus dominus et laudabilis nimis et magnitudinis eius non est finis ». Et iterum: « Magnus dominus noster et magna virtus eius et sapientie eius non est numerus ». Et Paulus ad Romanos ait: *fol. 1 v* « O altitudo divitiarum sapientie et scientie dei ! quam incomprehensibilia   5 sunt iudicia eius et investigabiles vie eius! » et cetera. Et in libro De causa causarum scriptum est: « Causa prima superior est narratione ».

Quod deus novit omnia ab eterno.

Unde penitus affirmant, quod ipse dominus propter magnitudinem sapientie sue novit omnia ab eterno, et quod omnia preterita, presentia et futura   10 semper sunt coram ipso, et ipse novit omnia antequam fierent, sicut Susanna in libro Danielis ait: « Deus eterne, qui absconditorum es cognitor, qui omnia nosti antequam fiant ». Et Ihesus filius Syrac ait: « Domino enim deo antequam crearentur omnia sunt agnita, sic et post perfectum respicit omnia ». Et Apostolus ad Hebreos ait: « Et non est ulla creatura invisibilis in cons-   15 pectu eius, omnia autem nuda et aperta sunt oculis eius ».

De bonitate et sanctitate et iusticia dei.

Quod autem dominus deus noster bonus sit et sanctus et iustus, sicut superius dictum est, satis manifeste probatur. David enim ait: « Quam bonus Israel deus his qui recto sunt corde ». Et iterum: « Fidelis dominus in om-   20 nibus verbis suis et sanctus in omnibus operibus suis ». Et iterum: « Dulcis et rectus dominus, propter hoc legem dabit delinquentibus in via ». Et iterum: « Deus iudex iustus, fortis et paciens; numquid irascitur per singulos dies? ». Et in libro Sapientie scriptum est: « Cum sis ergo iustus, iuste omnia disponis ».   25

De omnipotentia dei.

Dicitur enim omnipotens ipse dominus, ut dicunt, et quod facit quicquid vult; nec resistere potest ei quisquam, nec dicere: Cur ita facis? sicut Ecclesiastes ait: « Quia omne quod voluerit faciet, et sermo illius potestate plenus

---

1 enim *sup. lin.*   17 *post* iustitia *ms add. et del.* domini nostri Ihesu Christi

---

2 Ps. 144, 3   3 Ps 146, 5   5 Rom. 11, 33   6 Liber de causis, prop. 5 (ed. O. Bardenhewer, Die pseudo-aristotelische Schrift... Liber de causis, Freiburg i. B. 1882, p. 168)   12 Dan. 13, 42   13 Eccli. 23, 29   15 Hebr. 4, 13   19 Ps. 72, 1   20 Ps. 144, 13   21 Ps. 24, 8   23 Ps. 7, 12   24 Sap. 12, 15 29 Eccle. 8, 3-4

est, nec dicere ei potest quisquam: Quare ita facis? ». Et David ait: « Dominus autem noster in celo, omnia quecumque voluit fecit ». Et in Apocalipsi scriptum est: « Dicit dominus deus, qui est, et qui erat, et qui venturus est, omnipotens ». Et iterum: « Magna et mirabilia opera tua, domine deus om-
5 nipotens; iuste et vere vie tue, rex seculorum. Quis non timebit te, domine, et magnificabit nomen tuum? quia solus pius es ».   *fol. 2 r*

De propositione prima contra adversarios.

Deinde propono contra sententiam illorum qui dicunt unum solum esse principium principale. Dico enim: si deus, qui bonus est et iustus et sanctus,
10 sapiens atque rectus, qui « fidelis est in omnibus verbis suis, et sanctus in omnibus operibus suis », qui etiam omnipotens est et omnia scit antequam fiant, sicut superius ostensum est, creavit et disposuit suos angelos ab initio sicut ipse voluit per seipsum, sine ullo impedimento ab aliquo existente, cognoscendo etiam finem suorum omnium angelorum antequam fierent, existen-
15 tibus causis omnibus apud eius providentiam, pro quibus ipsos angelos oportebat deficere in futuro et malos et demones coram ipso toto tempore remanere, sicut aiunt fere nostri adversarii universi, sine dubio hoc necessario sequeretur, quod illi angeli nunquam boni neque sancti neque humiles potuerunt cum suo domino permanere, nisi tantum quantum ab initio noverat ipse
20 deus penes quem fiunt omnia ex necessitate ab eterno, cum non valeat aliquis omnino aliud facere quantum est iuxta ipsum, qui penitus omnia ventura scit, nisi illud quod ipse cognovit ab eterno ipsum esse facturum. Quod probo.

De impossibilitate.

Dico enim: sicut illud quod preteritum est, impossibile est non esse pre-
25 teritum, sic quod futurum est, impossibile est non esse futurum. Et maxime apud deum, qui cognovit ab initio atque scivit illud quod venturum est, secundum quod erat possibile esse venturum antequam fieret, fuit sine dubio necessarium ipsum esse futurum apud eum omnino, cum ipse sciret et cognosceret ab eterno omnes causas que necessarie sunt id quod futurum est pro-
30 ducere ad effectum. Et maxime cum ipse deus sit prorsus causa omnium causarum, si tantum unum est principale principium. Et precipue si verum est quod ipse deus facit quicquid vult et quod eius potentia non impeditur ab aliquo, ut aiunt adversarii veritatis.

Dico iterum: si deus cognovit omnino ab initio atque scivit suos angelos *fol. 2 v*

---

7 *ms* prepositione

1 Ps. 113², 3   3 Apoc. 1, 8   4-6 Apoc. 15, 3-4   10 *Cf.* Ps. 144, 13

demones devenire in futuro, propter dispositionem quam illis dederat a principio ipse deus, existentibus penitus causis omnibus apud eius providentiam
pro quibus oportebat ipsos angelos demones fieri in futuro, nec aliter quam
fecit voluit facere eos deus, hoc sequitur necessario, quod predicti angeli,
quin fierent demones, unquam evictare minime potuerunt. Et precipue cum   5
sit impossibile illud quod deus scit esse futurum, quod possit ullo modo
immutari quod non sit futurum. Et maxime penes ipsum qui prorsus omnia
futura scit ab eterno, sicut superius ostensum esse videtur.

　　Qua ergo ratione indocti dicere possunt quod angeli supradicti potuerunt
boni et sancti atque humiles cum suo domino toto tempore permanere, cum   10
illud fuisset ab eterno prorsus impossibile apud deum?. Coguntur ergo confiteri secundum illorum sententiam per verissimam rationem quod deus ab
initio scienter et cognoscendo creavit suos angelos atque fecit de tali imperfectione quod evictare malum nullo modo potuerunt. Et sic ipse deus, de
quo supra dictum est esse bonum et sanctum et iustum, sapientem atque rec-   15
tum, qui maior est omni laude, sicut superius ostensum est, esset penitus
causa et principium omnis mali, quod apertissime est negandum. Quapropter
duo oportet confiteri principia: unum scilicet boni, reliquum vero mali, quod
caput et causa est imperfectionis angelorum et etiam omnis mali.

Responsio ad supradicta.   20

　　Sed diceret forsan aliquis: sapientia sive providentia quam habuit a principio ipse deus, nullam induxit necessitatem in suis propriis creaturis, quod
necessario bonum facerent sive malum. Et de hoc forsan poneret exemplum.
Sicut si quidam homo esset in palatio uno et videret aliquem hominem ambulantem per viam ex sua propria voluntate, diceret forsan quod sapientia sive   25
providentia illius qui est in palatio, non facit per viam illum hominem ambulare, cum sciat prorsus et videat eius iter.

fol. 3 r　　Ita et deus, cum sciret prorsus et provideret ab eterno finem suorum omnium angelorum, sapientia sive providentia illius non fecit suos angelos demones devenire, sed ex illorum propria voluntate effecti sunt demones atque   30
mali, quia noluerunt sancti atque humiles cum suo domino remanere, sed in
superbiam contra ipsum nequissime [se] extulerunt.

Reprobatio supradicti exempli.

　　Ad reprobationem falsissimi exempli dicendum est. Sed cum deus fuisset
prorsus causa suorum omnium angelorum ab initio per se ipsum, ut dicunt,   35
sine dubio dispositionem et facturam sive creationem quam illis dederat ipse

---

16 esset: *ms* esse　　20 *rub. marg.*　　32 se *suppl.*　　35-36 ut... dubio *add.*
marg.　　36 *ante* dispositionem *add. et del.* et.

deus, ab ipso sicut ipse voluit proprie et principaliter habuerunt. Et id quod erant, per ipsum omnino in omnibus dispositionibus suis erant, nec quicquam ab alio aliquo nisi ab ipso penitus habuerunt, nec creare nec facere aliter voluit eos ab initio suus deus secundum illos; quod si aliter eos facere voluis-
5 set, illud poterat plenissime ducere ad effectum, sicut credunt. Et sic manifeste videtur quod deus suos angelos ab initio perficere non curavit. Sed scienter et cognoscendo omnes causas attribuit illis ˙deus pro quibus oportebat ipsos angelos demones fieri in futuro et necessario penes deum apud quem fiunt omnia ex necessitate ab eterno. Unde non est verum dicere quod
10 sapientia sive providentia dei non fecit suos angelos malos et demones devenire sicut providentia illius hominis qui est in palatio non fecit per viam alium hominem ambulare, et precipue quia ille homo qui ambulat per viam non est ab illo qui est in palatio, nec ab ipso habet suum esse, nec etiam suas vires. Quod si haberet ab ipso suas vires et penitus omnes causas que neces-
15 sarie sunt ad perficiendum illud iter, sicut angeli supradicti, secundum eorum fidem, a suo domino habuerunt, non esset verum dicere quod providentia illius hominis qui est in palatio, non fecit per viam illum hominem ambulare, sed per eum omnino ambularet evidenter, sicut superius de deo apertissime est ostensum. Et sic nullus homo potuisset rationabiliter illos angelos incul- *fol. 3 v*
20 pare, quia non potuerunt aliud facere quam fecerunt, propter dispositionem quam a suo domino habuerunt. Sicut enim « ethyops mutare non potest suam pelem, aut pardus varietatem suam » propter dispositiones suas quas a suo factore habuerunt, ita et angeli secundum adversariorum fidem evitare malum minime potuerunt, propter dispositionem quam illis dederat ab initio suus
25 deus, quod nequissimum est opinari.

Sed adhuc forsam fugam aliam nostri adversarii libenter acciperent, si valerent. Dicunt enim aperte: Bene potuisset deus perficere suos angelos ab initio si voluisset de tali perfectione, quod peccare nec malum facere nullo modo valuissent, his tribus de causis: scilicet quia omnipotens est, et omnia
30 scit ad eterno, et quia eius omnipotentia non impeditur ab aliquo. Sed de tali perfectione noluit facere eos deus, ac de causa, ut dicunt, quia si deus perfecisset ab initio suos angelos de tali perfectione quod peccare nec malum facere nullo modo potuissent, sed quod ex necessitate suo domino obedirent, de obedientia illorum vel servitio nullam gratiam illis ipse dominus habuisset.

---

1 ab... ipse *add. marg.* 1 *post* habuerunt *add. et del.* ab ipso sicut ipse **4 post** deus *add. et del.* nisi secundum quod fecit. Apertissime est dicendum **21** *ms* ethyos 26 Sed : *ms* Ed 28 nullo modo *add. marg.* 31 ac *ms,* *pro* hac 33 nullo modo *ex* ullo modo *cor. ms* 34 gratiam *pro* gloriam (?)

21-22 Cf. Ierem. 13, 23

Quia sic dicere potuisset illis deus: Nullam gratiam de vestro servitio habeo vobis, quia aliud facere non potestis. Et de hoc forsan ponerent exemplum. Sicut si quidam dominus haberet servum suum qui sciret in omnibus voluntatem domini sui nec omnino potuisset facere nisi illam, dicunt enim quod ipse dominus servo illi de suo servitio ullam gratiam minime habuisset, quia   5 nil aliud facere valuisset.

[De arbitrio angelorum].

Et ideo dicunt quod deus creavit suos angelos a principio de tali creatione quod possent agere bonum et malum ad eorum libitum, et hoc appellaverunt liberum arbitrium vel arbitrium secundum quosdam; scilicet quamdam   10
fol. 4 r vim liberam vel potestatem qua ille cui data est equalate bonum potest agere sive malum. Et ideo affirmant quod deus ratione et merito poterit illis tribuere gloriam sive penam, scilicet quia potuerunt peccare et non peccaverunt accipient gloriam, et quia potuerunt agere bonum et non agerunt accipient penam. Et sic illis rationabiliter dicere poterit ipse deus: « Venite, benedicti   15 patris mei, possidete regnum paratum vobis a constitutione mundi; esurivi enim et dedistis michi manducare, sitivi et dedistis michi bibere » et cetera. Quasi dicat: potuistis non dare, sed quia dedistis ideo possidete regnum paratum vobis a constitutione mundi, ratione et merito. Sic econverso dicere poterit ipse dominus rationabiliter peccatoribus: « Discedite a me, maledicti,   20 in ignem eternum qui paratus est diabolo et angelis eius; esurivi enim et non dedistis michi manducare, sitivi et non dedistis michi bibere » et cetera. Quasi dicat: potuistis dare et non dedistis, et ideo ibitis in ignem eternum, ratione et merito. Dicunt enim si omnino comedere sive bibere illi dare minime valuissent, qua ratione illis ipse dominus dicere potuisset: « Esurivi et   25 non dedistis michi manducare, sitivi et non dedistis michi bibere » et cetera. Quapropter affirmant quod deus noluit creare suos angelos perfectos, scilicet de tali perfectione quod peccare nec malum facere nullo modo valuissent, quia nullam gratiam de suo servitio illis ipse dominus habuisset, sicut predictum est.   30
Dicunt etiam quod deus noluit creare eos de tali creatione quod possent agere semper solo modo malum et non bonum, quia possent se predicti angeli rationabiliter excusare, dicentes: Non valuimus agere nisi malum propter dispositionem quam nobis ab initio tribuisti. Et ideo dicunt quod deus creavit suos angelos a principio in tali dispositione quod possent agere bonum   35

---

2 *ms* poneret   7 *supplevi*   14 agerunt *sic ms*   28 nullo *ex* ullo *cor ms*

15–17 Matth. 25, 34–35   20–22 Matth. 25, 41–42   25–26 Matth. 25, 42

et malum. Et sic ipse dominus rationabiliter poterit suos angelos iudicare, quia potuerunt peccare et non peccaverunt, et quia potuerunt non peccare et peccaverunt. Et sic contra nos nostri adversarii indiscrete gloriantur.   *fol. 4 v*

Reprobatio sententie adversariorum.

5   De illo autem quod superius dictum est proposui declarare, scilicet quia dicunt, si deus suos angelos ab initio perfecisset de tali perfectione quod peccare nec malum facere minime valuissent, de servitio illorum nullam gratiam illis dominus habuisset, quia non aliud facere potuissent.

Sed illud pro me multum facere cogitavi. Si enim deus alicui de suo ser-
10 vitio habet gratiam, istud, secundum quod michi videtur, necessario seque-
retur, scilicet quod aliquid deficit deo et voluntati illius, scilicet quia ipse vult et desiderat aliquid fieri quod non est, vel desiderat habere quod non habet. Et sic secundum hoc videtur quod possumus servire deo adimplendo illud quod deficit voluntati illius, vel tribuendo illi aliquid de quo indiget et
15 desiderat, sive sit pro eo sive pro aliis, sicut illa evangelica auctoritas memo-
rata superius evidenter insinuat, scilicet: « Esurivi et dedistis michi mandu-
care, sitivi et dedistis michi bibere » et cetera. Et iterum: « Quamdiu fecistis uni de his fratibus meis minimis, michi fecistis ». Et iterum Christus ad Ierusalem ait: « Quociens volui congregare filios tuos, quemadmodum galina
20 congregat pullos suos sub alas, et noluisti ». Et dominus loquens ad Sama-
riam per Iezechielem ait: « Inmunditia tua execrabilis, quia mundare te volui, et non es mundata a sordibus tuis ». Unde manifeste videtur quod voluntas dei et filii eius Ihesu Christi non erat tunc penitus adimpleta: quod esset impossibile si unum tantum esset principale principium bonum et sanc-
25 tum et iustum atque perfectum.

Unde hec est ratio quare deo servire possumus et Christo quando eorum perficimus voluntatem cum adiutorio veri patris, scilicet removendo famem et alia contraria a boni domini creaturis. Et sic ipse dominus poterit nobis habere gratiam cum adimpleverimus illud quod ipse vult et desiderat esse.
30 Et hoc multum videtur facere pro mea sententia cum neque deus neque homo *fol. 5 r* possit desiderare nec velle aliquid, nisi quando habet prius illud quod ipse non vult et quod gravat eum, sive sit pro eo sive pro aliis. Quod maxime videtur facere contra sententiam illorum qui dicunt unum solum esse principium principale integrum et perfectum, scilicet quod possit habere aliquid
35 quod non vult, et quod aliquid sit quod possit gravare ipsum principium et facere illud mestum, pro eo vel pro aliis; [quod non esset] nisi divisum esset

---

36 *post* mestum *add. ms* nec *sed del.*   36 quod non esset *supplevi :*

---

16 Matth. 25, 35   17 Matth. 25, 40   19 Matth. 23, 37   21 Ezech. 24, 13

contra se, nocens sibi ipsi et suis, scilicet faciens illud per se ipsum sine ullo
impedimento ab aliquo, quod postea sit contra ipsum et contra suos penitus
in futuro, et quod faciat illud triste mestum et dolorosum. Sicut ille dominus,
qui creavit masculum et feminam et omnia alia animantia secundum illos, in
Genesi ait: « Et tactus dolore cordis intrinsecus » ait « Delebo, inquid,   5
hominem, quem creavi, a facie terre, ab homine usque ad animantia, a reptili
usque ad volucres celi; penitet enim me fecisse eos ». Quod non faceret
verus deus per seipsum ullo modo, si unum tantum esset principale principium sanctum et perfectum. Quamvis auctoritas supradicta ita possit intelligi, quasi dicat: Aliud est principium mali quod fecit dolere cor meum, idest   10
faciens illud contra creaturam meam unde oportet me delere eos a facie terre
propter peccata creaturarum, et ipsum principium fecit me penitere quod
feci eos, scilicet pro eis penam sustinere. Secundum vero sententiam unius
principii ita oportet intelligi: Penitet enim me quod feci eos, scilicet dolorem
et penam sustinebo in futuro per meipsum quod feci eos. Et sic videretur   15
manifeste secundum sententiam illorum, qui unum solum principale principium esse credunt, quod ipse deus et filius eius Ihesus Christus qui unum et
idem sunt secundum illos fecit se mestum tristem et dolorosum, sustinentem
penam per seipsum sine ullo impedimento ab aliquo. Quod de vero deo
impossibile est et nefas opinari.   20

De principio mali.

    Qua propter oportet nos necessario confiteri quod aliud sit principium
fol. 5 v mali, quod contra deum verum et creaturam illius nequissime operatur, et
ipsum principium videtur commovere deum contra creaturam suam et creaturam contra deum suum, et ipsum facit deum velle et desiderare illud quod   25
per seipsum minime vellet unquam. Unde propter comotionem maligni
hostis ipse deus verus vult et laborat, penitet, servit et adiuvatur in suis
propriis creaturis. Unde ipse dominus per Ysaiam ad populum suum ait:
« Verumtamen servire me fecisti in peccatis tuis, prebuisti michi laborem in
iniquitatibus tuis ». Et iterum: « Laboravi sustinens ». Et Malachias ait: 30
« Laborare fecistis dominum in sermonibus vestris ». Et David ait: « Et
penituit eum secundum multitudinem misericordie sue ». Et Apostolus ad
Corinthios prima ait: « Dei enim sumus adiutores ». De comotione autem
dei, ipse dominus ad Sathan in libro Iob ait: « Tu autem commovisti me
adversus eum, ut affligerem illum frustra ». Et per Ezechielem idem dominus   35
ait: « Cum caperent animas populi mei, vivificabant animas eorum, et vio-
labant me ad populum meum propter pugillum ordei et fragmen panis, ut

---

5 Gen. 6, 6–7   29 Isa. 43, 24   30 Isa 1, 14   30 Malach. 2, 17   31 Ps.
105, 45   33 I Cor. 3, 9   34 Iob. 2, 3   36 Ezech. 13, 18–19

interficerent animas que non moriuntur, et vivificarent animas que non
vivunt ». Et per Ysaiam dominus, conquerens de populo suo, ait: « Pro eo
quod vocavi et non respondistis, locutus sum et non audistis, faciebatis malum in oculis meis, et que nolui elegistis ». Et sic videtur aperte quod servire
5 deum multum pro me facit. Cum si esset unum tantum principale principium
sanctum et iustum et bonum, sicut superius de domino deo vero est ostensum, non faceret seipsum mestum tristem nec dolorosum, nec sustineret penam
per seipsum nec laboraret nec peniteret nec adiuvaretur ab aliquo, nec servi-
ret in peccatis alicuius, nec desideraret nec vellet aliquid fieri quod tardaret
10 esse, cum nichil omnino potuisset fieri contra eius voluntatem; nec ab aliquo
posset esse commotum, nec violatum, nec aliquid posset esse quod posset
gravare deum, sed omnia obedirent ei ex nimia necessitate. Et maxime cum *fol. 6 r*
« omnia essent per ipsum et in ipso et ex ipso » in omnibus suis dispositionibus, si esset unum solum principale principium sanctum et iustum, sicut de
15 deo vero est ostensum.

De servicio dei.

Unde hec est ratio quare possumus servire deo, scilicet perficiendo eius
opera vel etiam quando ipse deus adimpleverit per nos illud quod intendit
et desiderat esse. Sicut adimplevit per dominum Ihesum salutem in populo
20 suo, quamvis Christus nichil fecisset boni per seipsum, nec etiam per liberum
arbitrium. Qui de se ait: « Non possum ego a meipso facere quicquam ». Et
iterum: « Pater autem in me manens, ipse facit opera ». Et sic dicimus servire deo quando perficimus voluntatem eius cum adiutorio illius, non quod
valeamus facere per liberum arbitrium aliquid boni de quo ipse non sit causa
25 et principium, sicut beatus Iacobus in epistola ait: « Omne datum optimum et
omne donum perfectum desursum est, descendens a patre luminum ». Et in
evangelio Iohannis Christus ait: « Nemo potest venire ad me nisi pater, qui
misit me, traxerit eum ». Et de se ait: « Non possum ego a meipso facere
quicquam, sed sicut audio iudico ». Et iterum: « Pater autem in me manens,
30 ipse facit opera ». Et Apostolus ad Hephesios ait: « Gratia enim salvati
estis per fidem et hoc non ex vobis, dei enim donum est, nec ex operibus,
ut ne quis glorietur ». Et ad Romanos idem ait: « Igitur neque volentis neque
currentis sed miserentis est dei ». Et ad Philipenses ait: « Confidens hoc

---

5 deum *coni.:* *ms* deo   31 *post* fidem *add. marg.* in Christo Iesu   32 *ms*
nequis

---

2 Isa. 65, 12   13 Cf. Rom. 11, 36   21 Ioan. 5, 30   22 Ioan. 14, 10
25 Iacob. 1, 17   27 Ioan. 6, 44   28 Ioan. 5, 30   29 Ioan. 14, 10   30 Ephes.
2, 8-9   32 Rom. 9, 16   33 Phil. 1, 6

ipsum, quia qui cepit in vobis opus bonum, perficiet usque in diem domini nostri Christi Ihesu ». Et iterum: « Deus est enim qui operatur in vobis et velle et perficere pro bona voluntate ». Et ad Corinthios secunda idem ait: « Fiduciam talem habemus per Christum ad dominum, non quod sufficientes simus cogitare aliquid a nobis quasi ex nobis, sed sufficientia nostra ex deo 5 est, qui et idoneos nos fecit ministros novi testamenti, non littera sed spiritu: littera enim occidit, spiritus autem vivificat ». Et Iohannes Baptista ait: « Non *fol. 6v* potest homo accipere quicquam, nisi fuerit ei datum de celo ». Et David ait: « Nisi dominus hedifficaverit domum, in vanum laboraverunt qui hedifficant eam. Nisi dominus custodierit civitatem, frustra vigilant qui custodiunt eam ». 10 Et Yeremias ait: « Scio, domine, quia non est hominis via eius, nec viri est ut ambulet et dirigat gressus suos ». Et ad Corinthios ait Paulus: « Gratia autem dei sum id quod sum ». Et in parabolis Salamonis scriptum est: « Meum est conscilium et equitas, mea est prudentia, mea est fortitudo; per me reges regnant et legum condittores iusta decernunt; per me principes 15 imperant et potentes decernunt iustitiam ». Et iterum: « A domino diriguntur gressus viri; quis autem hominum intelligere potest viam suam? » Et in evangelio Mathei Christus ait: « Omnia michi tradita sunt a patre meo. Et nemo novit filium nisi pater, neque patrem quis novit nisi filius, et cui filius voluerit revellare ». Et in evangelio Iohannis de se ait: « Ego sum via veritas 20 et vita; nemo venit ad patrem nisi per me ». Et iterum: « Quia sine me nichil potestis facere ». Et in evangelio beati Luce idem ait: « Contendite intrare per angustam portam, quia, dico vobis, multi querent intrare et non poterunt ».

De destructione liberi arbitrii.

Unde satis manifestum est quod non possumus servire deo faciendo ali- 25 quid boni per liberum arbitrium unde ipse nobis habeat gratiam quasi ex nostra propria virtute aut potestate, idest quod ipse non sit causa et principium illius boni, sicut superius evidenter ostensum est. Et maxime cum nullas omnino vires a nobis habeamus, sicut beatus Petrus in Actibus apostolorum de homine claudo qui fuit sanus factus ait: « Viri Israelite, quid admi- 30 ramini in hoc aut nos quid intuemini, quasi ex nostra propria virtute aut potestate fecerimus hunc ambulare? » Quasi dicat non [nos] sed « deus *fol. 7r* Habraam, deus Ysaac, deus Iacob » fecit hoc.

---

23 querent *scripsi : ms* querunt   31 *ms* intuimini   32 *ms* fecimus   32 nos *sup.*

2-3 Phil. 2, 13   4-7 II Cor. 3, 4-6   7 Ioan. 3, 27   9 Ps. 126, 1   11 Ierem. 10, 23   12 I Cor. 15, 10   14 Prov. 8, 14-16   16 Prov. 20, 24   18 Matth. 11, 27   20 Ioan. 14, 6   21 Ioan. 15, 5   22 Luc. 13, 24   30 Act. 3, 12   32 Cf. Act. 3, 13

Et sic manifeste videtur quod quicquid boni invenitur in creaturis dei, ab ipso prorsus est et per ipsum, et ipse facit ipsum esse et est causa eius, sicut monstratum est superius. Malum autem, si inveniatur in populo dei, ab ipso deo vero non est, nec per ipsum, nec ipse facit ipsum esse, nec fuit nec est eius causa; sicut Ihesus filius Syrach ait: « Nemini mandavit impie agere, et nemini dedit spatium peccandi », subintellige simpliciter et directo per se. Et etiam malum a creatura dei bona per seipsam, sine causa mali, unquam procedere non valeret. Dominus enim per Iezechielem ait: « Floruit virga, germinavit superbia: iniquitas surrexit in virga impietatis, non ex eis, non ex populo, neque ex sonitu eorum ». Ergo aliunde! Et Christus in evangelio Mathei ait: « Simile factum est regnum celorum homini qui seminavit bonum semen in agro suo. Cum autem dormirent homines, venit inimicus eius nocte et superseminavit zinzania in medio tritici et abiit ». Et David ait: « Deus, venerunt gentes in hereditatem tuam, polluerunt templum sanctum tuum, posuerunt Ierusalem in pomorum custodiam ». Et per prophetam Iohelem dominus ait: « Gens enim ascendit super terram meam, fortis et innumerabilis; dentes eius ut dentes leonis et molares eius ut catuli leonis. Posuit vineam meam in desertum et ficum meam decorticavit; nudans spoliavit eam et proiecit, et albi facti sunt rami eius ». Et sic manifeste intelligendum est quod superbia et iniquitas sive impietas et zinzania et polutio templi sancti dei et vastitas vinee eius, nullo modo proprie et principaliter a bono domino procedere potuissent, nec a creatura eius bona, que prorsus ab eo est in omnibus dispositionibus suis. Sequitur autem adhuc quod sit aliud principium mali, quod capud et causa est omnis superbie et iniquitatis et pollutionis populi et etiam malorum omnium aliorum.

fol. 7 v

De oppositione adversariorum scilicet quod deus noluit creare suos angelos perfectos.

De illo autem quod sequitur diserere destinavi, scilicet quia dicunt quod deus noluit creare suos angelos perfectos, scilicet de tali perfectione quod possent agere semper solomodo bonum et non malum, nec etiam quod possent agere semper solomodo malum et non bonum, sed creavit eos de tali creatione, quod possent agere bonum et malum ad eorum libitum, ut dicunt, sicut superius ostensum esse videtur. Dico enim, si deus noluit creare suos angelos de tali creatione, quod possent agere bonum semper solomodo et non

---

5 sicut *add. marg.*   6 subintellige : *ms* subintelle   6 Et *e* Nec *cor* *ms*
8 *ms* fluruit   15 *ms* custodia   20 *ms* pulutio

---

5 Eccli. 15, 21   8 Ezech. 7, 10–11   11 Matth. 13, 24–25   13 Ps. 78, 1
16 Ioel 1, 6–7

malum, nec solomodo malum et non bonum, sed quod possent agere bonum
et malum, quod ita oportet intelligi, scilicet in diversis temporibus; quia illud
impossibile est quod angeli valuissent habere talem creationem a deo, quod
simul et semel et uno eodem tempore possent agere bonum et malum. Unde
secundum supradictam sententiam hoc necessario sequeretur, scilicet quod   5
angeli supradicti agerunt bonum et malum, et non solomodo bonum, nec
malum, sed penitus bonum et malum. Et sic videtur manifeste quod illi angeli
evictare malum toto tempore nullo modo potuerunt, propter dispositionem
quam a suo domino habuerunt. Et sic secundum hoc deus esset causa et
principium illius mali, quod impossibile est et vanum opinari.   10

Sed forsan adhuc nostri adversarii, dicentes ante et retro vociferantes,
clamarent, dicentes: bene potuerunt agere semper bonum et malum predicti angeli si voluissent, quia habuerunt liberum arbitrium a deo, scilicet
vim liberam vel potestatem qua equalante possent agere bonum et malum ad
libitum eorum. Et sic dicerent quod deus non esset principalis causa illius   15
mali, quia peccaverunt ex libero arbitrio illis dato, ex illorum propria
voluntate.

Probatio quod non sit liberum arbitrium.

Si quis autem rationes superius memoratas subtiliter inspiceret, [videret
quod] nichil contra me facit liberum arbitrium, scilicet vis illa libera vel   20
potestas quam dicunt esse datam illis a deo, qua possent agere bonum et
malum ad eorum libitum, quamvis videatur impossibile apud sapientes,
scilicet quod aliquis posset habere potentiam duorum contrariorum simul et
semel et uno eodem tempore, idest quod aliquis posset habere potentiam
faciendi bonum toto tempore, et faciendi malum toto tempore, et maxime   25
apud deum, qui penitus omnia futura scit, iuxta sapientiam cuius fiunt omnia
ex necessitate ab eterno. Et precipue esset mirandum quomodo boni angeli
valuissent odire bonitatem similem illorum que erat ab eterno et causa eius,
et diligere malitiam que non erat, que valde est contraria bonitati; et hoc
sine causa si causa mali non erat penitus, ut aiunt imperiti. Et maxime cum   30
scriptum sit in libro Ihesu filii Syrac: « Omne animal diligit simile sibi, sic
omnis homo proximum sibi. Omnis caro ad similem sibi coniungitur, et omnis
homo simili sibi sociatur ». Et iterum: « Volatilia ad sibi similia conveniunt;
et veritas ad eos qui operantur illam revertetur ». Et sic videtur manifeste
quod boni angeli magis debuissent eligere bonum simile sibi, quod erat ab   35

fol. 8ʳ

---

5 scilicet _sup. lin._   6 agerunt _ms_   14 _ms_ equalance   19 videret quod _supplevi_

---

31 Eccli. 13, 19–20   33 Eccli. 27, 10

eterno, quam reprobare illud et malum eligere, quod non erat, nec eius causa,
secundum adversariorum fidem, quamvis hoc videatur impossibile, scilicet
quod aliquid possit incipere sine causa; sicut scriptum est: « Quicquid enim
cepit id non habere causam impossibile est ». Et iterum: « Omne enim quod
5 exit de potentia ad effectum eget causa qua trahatur ad effectum ». Et etiam
id quod erat secundum illos eius causa, scilicet bonum, minus eget quam id
quod non erat, idest malum, quamvis scriptum sit: « Oportet aliquid prius
esse quam agat ». Et etiam manifeste sciendum est, quod si causa permaneret in sua dispositione penitus sicut erat prius, quod non proveniret aliud
10 ex ea quam quod fiebat prius; omnis enim actio que incipit est propter novitatem alicuius rei, sicut scriptum est: « Cum enim quis sit agens qui non fuit
agens, necesse est hoc fieri propter novitatem alicuius rei ». Quare sciendum
est, quia si dispositiones agentis permanerent ita ut erant et non fieret agenti *fol. 8 v*
novum aliquid nec in se nec extra se usque tunc, profecto non esset agenti
15 pocius actio essendi quam non essendi, sed non esse permaneret incessabi-
liter. Nam sicut ex diversitate aliud provenit, ita ex identitate idem durat.
Verum etsi absque libero arbitrio nullus angelorum peccare potuisset, deus
non dedisset illud ullo modo, cum sciret quod ea sola occasione ipsius regnum
corrumperetur. Alioquin corruptio angelorum a deo, qui « maior est omni
20 laude », necessario processisset; quod nefas est opinari. Sequitur autem
adhuc quod sit aliud principium mali, quod capud et causa est corruptionis
angelorum et etiam omnis mali.

De arbitrio: quod non habuerunt angeli.

Unde satis sapientibus manifestum est, quod angeli supradicti nunquam
25 habuerunt a deo tale arbitrium, scilicet talem potestatem quod possent
velle et scire et facere bonum toto tempore solomodo et non malum; quod
si habuissent, fecissent et voluissent bonum toto tempore, et non malum
unquam, ex nimia necessitate.

Qua ergo ratione, vel qua fronte dicere possunt imperiti quod angeli

---

6 *post* illos *add et del.* et   6 *ms* egit   7 *post* erat *add. et del.* nec eius causa
14 *ms* profeto   15 actio *ex* actionem *cor. ms*   15 essendi[2] *ex* esse *cor. ms*
24 *ms* sapietibus.

3-11 *Hae auctoritates ad litteram non inveni, ad sensum multi tenent: e. g.* Al-
Kindi, Liber de intellectu: « nichil autem quod est rei in potentia exit ad effectum
per se ipsum » (ed. A. Nagy, Beiträge z. Geschichte der Philosophie des Mittelalters, Bd. II, H. V, Münster 1897, p. 5). — Avencebrol (Ibn Gebirol) Fons Vitae
III 4 « omne quod exit de potentia in effectum, non trahit illud in effectum nisi quod
habet esse in effectu » (ed. C. Baeumker, Beiträge z. Gesch. der Phil. des Mittelalters, Bd. I, H. III, Münster 1895, p. 83). Etc.   18 Cf. Eccli. 43, 33

supradicti bene potuerunt facere semper solomodo bonum si voluissent, cum
apud deum, qui sciebat penitus futura, potentiam nec voluntatem nec scientiam nec arbitrium nec aliquam causam aliam predicti angeli ab eo minime
habuissent, quod evitare malum penitus potuissent, sicut superius satis declaratum est. Sed apud homines ignorantes penitus futura et etiam omnes cau- 5
sas, que necessarie sunt ad agendum bonum vel malum toto tempore vel in
diversis temporibus, illud forsan quodammodo potest dici, scilicet quod
angeli habuerunt talem virtutem vel potestatem a deo, quod potuerunt agere
bonum et malum toto tempore. Sed apud deum qui prorsus omnia futura scit,
penes quem sunt omnes cause cognite ab eterno, pro quibus illud quod futu- 10
rum est impossibile est non esse futurum, iuxta sapientiam cuius fiunt omnia
ex necessitate ab eterno, illud videtur apertissime esse falsum.

Unde illa verba contraria multociens inveniuntur apud homines ignorantes
penitus futura vel veritatem rerum, scilicet quia dicunt illud quod nunquam
fiet quod potest esse, et illud quod prorsus erit quod non potest esse. Verbi 15
gratia, dicimus enim aliquando, potest esse quod Petrus vivet usque cras, et
potest esse quod moriatur hodie. Quamvis illud sit impossibile, scilicet quod
Petrus possit vivere usque cras et quod possit mori hodie, tamen, quia ignoramus futura et etiam omnes causas que necessarie sunt ad vitam vel ad
mortem Petri, ponimus illud quod est impossibile pro possibili et illud quod 20
est possibile pro impossibili. Si autem sciremus penitus futura et etiam omnes causas que necessarie sunt ad vitam vel ad mortem Petri, tunc non diceremus Petrus potest vivere usque cras et potest mori hodie. Si enim sciremus Petrum mori hodie, tunc diceremus manifeste necesse est Petrum mori
hodie, vel impossibile est eum vivere usque eras. Et si sciremus eum vivere 25
usque cras tunc diceremus manifeste necesse est eum vivere usque cras, vel
impossibile est Petrum mori hodie. Sed ideo quia ignoramus futura ponimus
possibile pro impossibili et impossibile pro possibili; quod est impossibile
apud eum qui penitus omnia futura scit.

Dico iterum: si quidam homo esset in domo una in qua Petrus esset, qui 30
videret Petrum sine dubio; quidam alius homo esset extra domum illam, qui
interrogaret illum hominem qui est in domo, dicens: potest esse Petrus in
domo illa? Si ille qui scit sine dubio Petrum esse in domo illa, quia videt
eum occulatim, responderet ei et diceret: potest esse quod Petrus est in
domo, et potest esse quod non est, sine dubio male locutus fuisset et contra 35
illius conscientiam quando dixisset potest esse quod Petrus non est in domo,
cum sciret proculdubio Petrum esse in domo quia videbat eum occulatim.

Sic dico de arbitrio dato a deo secundum illos. Quantum est apud deum,
qui penitus omnia futura scit, penes quem sunt omnes cause cognite ab

fol. 9 v (margin, left of line 36)

---

2 *post* futura *add. et del.* nec   3 *post* aliam *add. et del.* habuerunt   3 minime habuissent *add. marg.*

eterno pro quibus illud quod ifuturum est impossibile erat non esse futurum,
iuxta sapientiam cuius fiunt omnia ex necessitate ab eterno, angeli supradicti
nunquam habuerunt ab eo liberam virtutem vel potestatem volendi nec sciendi
nec faciendi bonum toto tempore. Et precipue cum ipse deus sciret et videret
5 proculdubio finem suorum omnium angelorum antequam fierent, sicut ille
homo qui videbat Petrum et sciebat sine dubio eum esse in domo, male locutus fuisset si dixisset: potest esse quod Petrus non est in domo. Sic dico
apud deum de arbitrio angelorum, quia nunquam fuit verum dicere angeli
potuerunt non peccare; et maxime apud deum qui penitus omnia futura scit.
10 Et si dicerent quia noluerunt, nichil ad verbum, quia boni angeli noluerunt
agere malum sine causa, cum sit impossibile apud sapientes, quod boni
valeant odire bonum et desiderare malum sine causa, cum nichil omnino sine
causa possit esse, sicut superius ostensum est. Fuit ergo necessarium penes
deum ipsos angelos in futuro malos et demones devenire, existentibus penitus
15 causis omnibus apud eius providentiam ab eterno, pro quibus debebant deficere in futuro; fuit etiam sine dubio impossibile penes ipsum quod possent
boni atque sancti toto tempore permanere.

Sed apud homines ignorantes futura et penitus veritatem, illud forsan
quodammodo potest dici, scilicet quod angeli supradicti potuerunt agere
20 bonum et malum toto tempore. Sed apud homines scientes penitus veritatem
sive futura et etiam omnes causas que necessarie sunt ad agendum bonum *fol. 10* >
toto tempore vel etiam in diversis temporibus, illud prorsus impossibile est,
scilicet quod angeli possent habere liberam potestatem faciendi bonum toto
tempore et liberam potestatem faciendi malum toto tempore; imo esset neces-
25 sarium penitus apud illos, ipsos angelos deficere in futuro. Et foret etiam
impossibile iuxta ipsos predictos angelos bonos atque sanctos toto tempore
permanere, cognoscendo etiam omnes causas non esse aptas ad agendum
bonum toto tempore sed malum penitus in futuro. Unde apud sapientes satis
manifestum, quod angeli supradicti, secundum ignavorum sententiam, nun-
30 quam habuerunt a deo liberam virtutem vel potestatem, quod potuissent
facere bonum toto tempore, sed malum ex nimia necessitate penitus in
futuro, sicut superius aperte ostensum est; quod nequissimum est et vanum
opinari.

De sententia magistri Guillelmi.

35 Sententiam vero magistri Guillelmi oblivioni tradere minime cogitavi
quamvis esse sapiens in pluribus videatur. Audivi enim eum circa verba

---

10 verbum *coni.* : *ms* rumbum

---

34 Guillelmus: *videas quaeso praefationem p. 23*

hec talia proferrentem, scilicet quod a deo angeli non fuerunt perfecti, a deo ab initio, quia eos perficere non potuit suus deus. Hac de causa, scilicet quia deus non potuit nec potest facere aliquem suum similem nec coequalem sibi ullo modo. Et quamvis ipse deus a pluribus omnipotens esse dicatur, tamen illud facere minime potest ipse. Et ideo in quantum deficiebant a deo pulcritudinis et magnitudinis, scilicet quia non erant ei similes nec coequales sibi, in tantum predicti angeli deficere potuerunt, quia potuerunt concupiscere pulcritudinem et magnitudinem illam. Sicut de Luciferro in Ysaya legitur: « Ponam sedem meam ab aquilone et ero similis altissimo ». Et sic diceret forsan quod ideo non possumus deum rationabiliter inculpare, quia non fecit suos angelos perfectos, scilicet de tali perfectione quod concupiscere pulcritudinem et magnitudinem dei minime potuissent, quia illud facere non potuit suus deus, sicut superius ostensum est.

Sententiam supradictam cum ratione verissima disposui reprobare. Si enim deum non possumus rationabiliter inculpare, quia non potuit in tantum perficere suos angelos quod non concupiscerent pulcritudinem et magnitudinem eius ideo quia non potuit facere eos sui similes nec coequales sibi, multo ergo minus possumus ipsos angelos inculpare, quia ullo modo quin concupiscerent pulcritudinem et magnitudinem dei evitare minime potuerunt, scilicet propter dispositionem quam a suo [factore] habuerunt, scilicet quia non potuit perficere eos in tantum ut non concupiscerent eius pulcritudinem et magnitudinem.

Dico iterum: si deus non potuit perficere suos angelos de tali perfectione ut non concupiscerent eius pulcritudinem et magnitudinem in tantum ut non efficerentur demones propter illam, nec etiam illi angeli potuerunt illud malum ullo modo evitare. Et sic, secundum quosdam, hoc necessario sequeretur, scilicet quod omnes angeli, et etiam homines qui modo salvantur, semper deberent concupiscere pulcritudinem et magnitudinem illam et peccare semper contra deum suum propter illam concupiscentiam, et etiam necessario demones effici propter illam, sicut alii angeli sunt effecti, ut dicitur. Et precipue quia deus non potuit nec potest nec poterit unquam facere aliquem sibi similem nec coequalem sibi ullo modo.

Et si diceret: non potuerunt amplius concupiscere nec peccare qui salvantur quia erunt eruditi et subtiliter edocti propter penam aliorum angelorum, qui demones effecti sunt propter illam concupiscentiam. Ad hoc sic potest responderi, quod deus, de quo supra dictum est esse bonum et sanc-

fol. 10v

---

1 hec *coni*: *ms* huiusmodi *sed postea del.*   20 factore *supplevi*   21 *ms* cum cupiscerent

---

8 Cf. Isa. 14, 13-14

tum et iustum, esset penitus causa et principium pene et mali suorum om- *fol. 11r*
nium angelorum cum sine ratione et iustitia penam eternam suis angelis tribuisset; eo quod non potuit facere eos de tali perfectione, quod non concupiscerent eius pulcritudinem et magnitudinem, nec etiam illi angeli potue-
5 runt illud malum ullo modo evitare, ideo quia fuerunt creati primitus quam
alii angeli qui eruditi sunt propter penam et defectum illorum. Illi vero angeli qui demones sunt effecti, ut plures dicunt, non potuerunt esse eruditi
neque docti propter penam aliorum angelorum, quia alii angeli non fuerunt
creati ante eos. Et sic supradicti angeli mirabiliter conqueri cum ratione
10 de suo domino potuissent cum illis penas innumerabiles tribuisset, eo quod
non potuit perficere eos in tantum ut non concupiscerent eius pulcritudinem
et magnitudinem, nec etiam propter hoc illi angeli concupiscentiam illam
evitare ullo modo potuerunt. Unde hoc prorsus mirabile est, quomodo in
mente cuiusquam sapientis unquam ascendere potuit quod deus, qui bonus
15 est et sanctus et iustus, debeat suos angelos toto tempore reprobare, illis
eternum supplicium tribuendo, ideo quia non potuit eos facere de tali perfectione quod non concupiscerent eius pulcritudinem et magnitudinem, nec
etiam illi perfectionem illam ullo modo ab eo recipere potuerunt.

De angelis.

20 Et si diceret: quamvis deus non posset facere suos angelos similes sui
nec coequales sibi, tamen bene potuisset perficere eos si voluisset de tali
perfectione, quod nunquam eius pulcritudinem concupivissent. Sed noluit,
quia habuerunt liberum arbitrium a deo, idest liberam virtutem vel potestatem quod possent concupiscere et non concupiscere eius pulcritudinem et
25 magnitudinem ad libitum eorum, et sic illud quod superius dictum est nichil
valet, scilicet quod deus non potuit perficere suos angelos in tantum ut non
concupiscerent eius pulcritudinem et magnitudinem ideo quia ipse non potuit
facere eos sui similes nec coequales sibi ullo modo.

Et sic manifestum est secundum supradictam sententiam, quod deus *fol. 11v*
30 noluit perficere suos angelos in tantum ut non concupiscerent eius pulcritudinem et magnitudinem; sed scienter et cognoscendo fecit eos de tali imperfectione, quod evitare concupiscentiam minime potuerunt, attribuendo illis
omnes causas pro quibus sciebat ipsos angelos deficere in futuro, et precipue
iuxta ipsum qui penitus omnia futura scit, penes quem erant omnes cause
cognite ab initio, pro quibus oportebat ipsos angelos concupiscere in futuro,
35 apud quem omnia ex necessitate fiunt ab eterno, sicut satis superius evidenter ostensum est, ubi de arbitrio est tractatum. Et sic apud sapientes manifestum est secundum supradictam sententiam quod deus non posset se
rationabiliter excusare, cum illud malum nullo modo voluerit removere,

sed scienter et cognoscendo creavit suos angelos de tali imperfectione quod
fuit ab eterno impossibile apud eum ut non concupiscerent eius pulcritudinem
et magnitudinem.

Unde sciendum est quod non habuerunt liberum arbitrium predicti angeli
a deo, quod evitare concupiscentiam penitus potuissent. Et maxime apud   5
deum qui sciebat prorsus omnia futura, penes quem illud quod futurum est
impossibile est non esse futurum, cum omnibus suis causis que faciunt
ipsum esse. Et precipue cum ipse sit prorsus causa causarum omnium si
unum tantum est principale principium. Sequitur ergo ex necessitate secundum supradictam sententiam quod deus esset principalis causa omnis con-   10
cupiscentie et etiam omnis mali, sicut scriptum est, « qui occasionem dampni
dat dampnum dedisse videtur », quod de vero deo minime est credendum.

---

11 Cf. Digesta IX 2 30: Ad legem Aquiliam. *Qui occidit* (Corpus Iuris civilis,
t. I, Berolini 1893, p. 129).

[De creatione]

Oppositio adversariorum, scilicet quod deus sit creator omnium sive factor.

Sed quamvis nostri adversarii penes veritatem nullam habeant rationem, adhuc forsan rationes superius memoratas despicientes, fortiter clamarent
5 dicentes: Hec verba minime sunt credenda, quia hominum opiniones sunt et phylosophorum argumentationes, de quibus Apostolus ad Coloscenses ait: *fol. 12r* « Videte ne quis vos decipiat per phylosophiam et inanem fallaciam, secundum traditiones hominum, secundum elementa mundi huius et non secundum Christum ». Et sic dicerent forsan, quod pro rationibus supradictis duo
10 principia minime sunt credenda, cum per testimonia divinarum scripturarum illa esse minime probata, et specialiter quod alius deus sit creator omnium sive factor omnipotens et eternus sive sempiternus et antiquus sine initio et fine preter dominum deum verum per divinas rationes non potest reperiri.

Et ad hoc probandum, scilicet quod dominus deus verus sit creator om-
15 nium sive factor, istis auctoritatibus et aliis consimilibus forsan suam sententiam fortiter confirmarent. Scriptum est in Apocalipsi: « Dignus es, domine deus noster, accipere gloriam et honorem et virtutem, quia tu creasti omnia, et propter voluntatem tuam erant et creata sunt ». Et iterum: « Et angelus, quem vidi stantem supra terram et supra mare, levavit manum suam
20 ad celum et iuravit per viventem in secula seculorum, qui creavit celum et ea que in illo sunt, et terram et ea que in ea sunt, et mare et ea que in eo sunt, quia tempus amplius non erit ». Et Apostolus ad Hebreos ait: « Omnis namque domus fabricatur ad aliquo: qui autem omnia creavit, deus est ». Et Ihesus filius Syrach ait: « Qui vivit in eternum creavit omnia simul ». Et
25 iterum: « Creavit enim ut essent omnia ». Et apostoli in Actibus suis dixe-

---

1 *addidi*   2 *rub. in ima pag. – Alia rub. marg.*: Sed quamvis nostri adversarii
sed postea del.   11 *lege* minime sit probatum   13 rationes *add. marg.*

---

6 Col. 2, 8   16 Apoc. 4, 11   18 Apoc. 10, 5–6   22 Heb. 3, 4   24 Eccli.
18, 1   26 Sap. 1, 14

runt: « Domine, tu qui fecisti celum et terram, mare, et omnia que in eis
sunt ». Et Paulus in eisdem, ad Athenienses ait: « Hoc ego anuntio vobis:
deus, qui fecit mundum et omnia que in eo sunt, hic celi et terre cum sit
dominus, non in manufactis templis habitat, nec manibus humanis colitur
indigens aliquo, cum ipse det omnibus vitam et inspirationem et omnia ». 5
Et Iohannes in evangelio ait: « Omnia per ipsum facta sunt et sine ipso
factum est nichil ».

fol. 12v *Quod deus nominatur pater omnium.*

Non solum autem creator omnium sive factor dicitur dominus deus
noster, sed etiam pater omnium nominatur, sicut beatus Paulus ad Hephesios 10
ait: « Unus dominus, una fides, unum baptismum; unus deus pater omnium
qui super omnes et per omnia et in omnibus nobis ». Et iterum: « Huius rei
gratia flecto genua mea ad patrem domini nostri Ihesu Christi ex quo omnis
paternitas in celis et in terris nominatur ». Et ad Corinthios prima idem ait:
« Nobis tamen unus deus, pater, ex quo omnia et nos in illo, et unus domi- 15
nus Ihesus Christus, per quem omnia et nos per ipsum ». Et ad Romanos
ipse ait: « Quoniam ex ipso et per ipsum et in ipso sunt omnia ». Fuerunt
etiam in domino Ihesu Christo condita universa, et per ipsum et in ipso
omnia sunt creata, sicut ad Colosenses Paulus de Christo ait: « Qui est
ymago dei invisibilis, primogenitus omnis creature, quia in ipso condita sunt 20
universa in celis et in terra, visibilia et invisibilia, sive troni sive dominationes sive principatus sive potestates: omnia per ipsum et in ipso creata sunt,
et ipse est ante omnes, et omnia in ipso constant ».

Et sic nostri adversarii pro istis rationibus et aliis consimilibus videntur suam sententiam multociens affirmare. 25

De omnipotentia et eternitate et sempiternitate dei.

Quod autem predictus dominus deus noster sit omnipotens et eternus
sive sempiternus et antiquus, inducerent nostri adversarii forsan quedam
divinarum testimonia scripturarum, asserentes quod nulla alia sit potentia
vel potestas nisi sua, sicut David ait: « Quoniam ego cognovi quod magnus 30
est dominus et deus noster pre omnibus diis. Omnia quecumque voluit dominus fecit in celo et in terra et in mari et in omnibus abysis ». Et Apostolus

---

26 *post* sempiternitate *add. et del.* domini nostri

---

1 Act. 4, 24   2 Act. 17, 23–25   6 Ioan. 1, 3   11 Ephes: 4, 5–6
12 Ephes. 3, 14   14 I Cor. 8, 6   17 Rom. 11, 36   19 Col.1, 15–17   30 Ps.
134, 5–6

in prima epistola ad Thimotheum ait: « Precipio tibi coram deo, qui vivificat omnia, et Christo Ihesu, qui testimonium reddit sub Pontio Pilato bonam
confessionem, ut serves mandatum sine macula, irreprehensibile, usque in
adventum domini nostri Ihesu Christi, quem suis temporibus ostendet rex
5 beatus et solus potens, rex regum et dominus dominantium ». Et in Apoca- *fol. 13r*
lipsi scriptum est: « Gratias ago tibi, domine deus omnipotens ». Et Apostolus ad Romanos ait: « Non est enim potestas nisi a deo; que autem sunt,
a deo ordinate sunt ».

Quod autem dominus deus verus eternus sit sive sempiternus et anti-
10 quus, his rationibus demonstratur. David ait: « Ut enarretis in progenie
altera, quoniam hic est deus, deus in eternum et in seculum seculi; ipse reget
nos in secula ». Et Ysaias ait: « Quia hec dicit dominus excelsus et sublimis,
habens eternitatem ». Et Apostolus ad Romanos ait: « Secundum revelationem misterii temporibus eternis taciti, quod nunc patefactum est per scrip-
15 turas prophetarum secundum preceptum eterni dei ».

De sempiternitate autem ipsius dei veri Ysaias ait: « Deus sempiternus
dominus, qui creavit terminos terre ». Et Ieremias ait: « Dominus autem
deus verus est, ipse est deus vivens et rex sempiternus ».

De antiquitate autem ipsius domini ait Daniel: « Aspiciebam ergo in
20 visione noctis, et ecce cum nubibus celi quasi filius hominis veniebat, et usque
ad antiquum dierum pervenit ». Et iterum: « Donec venit antiquus dierum ».

Et sic dicerent forsan, quod istis rationibus supradictis et aliis consimilibus unum solum deum tantum et dominum atque principem omnipotentem
esse firmiter est credendum, qui eternus est sive sempiternus et antiquus,
25 sicut superius declaratum esse videtur.

Solutio supradictarum obiectionum.

Solutionem vero harum obiectionum secundum intentionem meam cum
adiutorio Ihesu Christi facere cogitavi. Sed primo de creatione et factura,
de qua dominus deus noster creator et factor omnium nominatur, per divina
30 testimonia verissimam rationem volui demonstrare; secundo quid per o m n i a
et alia universalia signa in divinis scripturis significetur.

Creare vero vel facere per scripturas accipio tribus modis. Dico enim
creare vel facere quando aliquid additur per dominum deum verum super

---

12 excelsus: *ms* excesus   23 deum *sup. lin.*   28 *post* sed *add. et del.* de
29 de *sup. lin.*   30 o m n i a *videas quaeso praefationem p. 24.*

---

1 I Tim. 6, 13-15   6 Apoc. 11, 17   7 Rom. 13, 1   10 Ps. 47, 14-15
12 Isa. 57, 15   13 Rom. 16, 25-26   16 Isa. 40, 28   17 Ier. 10, 10   19 Dan.
7, 13   21 Dan. 7, 22

fol. 13v essentias illorum qui valde boni erant, ipsos in salvandorum auxilio ordinando, sicut fuit dominus Ihesus Christus a domino deo vero episcopus ordinatus et unctus spiritu sancto et virtute, ut omnes opressos a diabolo libe-
raret; et sicut angeli et ministri dei patris fuerunt facti, ut eos qui hereditatem salutis capiunt adiuvarent. Aliquando dicitur creare vel facere quando per   5
ipsum deum aliquid additur super essentias illorum qui mali effecti erant,
ipsos in bonis operibus ordinando. Dico etiam creare vel facere, quando
per ipsum deum aliquid permittitur ei qui penitus malus est, vel ministro illius
qui perficere non potest quod desiderat nisi ipse bonus dominus dolositatem
illius ad tempus sustinuerit patienter ad honorem sui et dedecus illius nequis-   10
simi eius hostis.

De prima creatione sive factura.

De prima vero creatione sive factura per divinarum testimonia scripturarum rationem verissimam volui demonstrare, sicut beatus Paulus de creatione domini nostri Ihesu Christi mentionem faciens ad Colosenses ait: « No-   15
lite mentiri invicem expoliantes veterem hominem cum actibus suis, et
induentes novum, eum qui renovatur in agnitione dei secundum ymaginem eius
qui creavit eum ». Et ad Ephesios idem ait: « Renovamini autem spiritu mentis vestre et induite novum hominem, qui secundum deum creatus est in
iustitia et sanctitate veritatis ». Et per Ysaiam dominus ait: « Rorate celi   20
desuper et nubes pluant iustum; aperiatur terra et germinet salvatorem, et
iustitia oriatur simul. Ego dominus creavi eum ».

De factura autem ipsius domini Ihesu Christi beatus Petrus in Actibus
apostolorum ait: « Certissime ergo sciat omnis domus Israel quia dominum
eum et Christum deus fecit, hunc Ihesum quem vos crucifixistis ». Et ad   25
Hebreos Paulus ait: « Unde, fratres sancti, celestis vocationis participes,
considerate apostolum et pontificem confessionis nostre Ihesum, qui fidelis
est ei qui fecit eum ». Et iterum: « Cui enim angelorum dixit aliquando:
Filius meus es tu, ego hodie genui te? »

De factura autem bonorum spirituum et angelorum qui facti fuerunt a   30
fol. 14r domino deo vero beatus Apostolus ad Hebreos ait: « Et ad angelos quidem
dicit: qui facit angelos suos spiritus, et ministros suos flammam ignis ». Et
iterum: « Nonne omnes administratorii sunt spiritus in misterio, missi prop-

---

12 *add. marg.*   26 sancti *e* sancte *cor. ms.*   30 qui *sup. lin.*   33 *ms* ami-
nistratori   33 *V* in ministerium missi.

---

3 Cf. Act. 10, 38   15 Col. 3, 9-11   18 Ephes. 4, 23-24   20 Isa. 45, 8
24 Act. 2, 36   26 Hebr. 3,1-2   28 Hebr. 1, 5   31 Hebr. 1, 7   33 Hebr.
1, 14

ter eos qui hereditatem capiunt salutis? » Et dominus per Ysaiam ait: « Ite angeli veloces » et cetera.

Quod creare et facere sit ex aliquo tanquam ex preiacenti materia.

Unde firmiter est credendum quia dominus noster Ihesus Christus et alii
5 boni angeli veri patris non dicuntur creati nec facti a domino deo vero eo quod in hac creatione sive factura essentie illorum initium penitus accepissent, et etiam quod essentie illorum fuissent omnino ex nichilo constitute, sicut videntur nostri adversarii adfirmare, qui credunt quod creare est apud deum proprie et principaliter ex nichilo aliquid facere. Quorum sententia
10 per divinarum scripturarum testimonia clarissime reprobatur. Ait enim angelus domini ad Iosep in evangelio Mathei: « Iosep, fili David, noli timere accipere Mariam coniugem tuam; quod enim in ea natum est, de spiritu sancto est ». Et non dixit ex nichilo creatum est. Et in libro Sapientie scriptum est: « Non enim impossibilis erat omnipotens manus tua, que crea-
15 vit orbem terrarum ex materia invisa ». Et in Genesi scriptum est: « Et creavit deus hominem de limo terre, et spiravit in eum spiraculum vite, et factus est homo in animam viventem ». Et Ihesus filius Syrach ait: « Altissimus creavit de terra medicinam ». Et iterum: « Deus creavit de terra hominem et secundum ymaginem suam fecit illum ».
20 Et sic manifeste apud sapientes illorum sententiam per testimonia scripturarum cum verissima ratione possumus reprobare.

De creatione et factura.

Vera est ergo mea superior expositio, scilicet quod creare et facere est aliquid addere super essentias illorum qui valde boni erant, sicut satis aperte
25 superius monstratum est. Quod ita puto esse intelligendum. Boni dicuntur creati et facti a domino deo vero, idest constituti ab eo pro salute peccatorum. Sicut de domino nostro Ihesu Christo Apostolus ad Hebreos ait: « Quid est homo quod memor eius es, aut filius hominis quoniam visitas eum » *fol. 14v* et cetera « et constituisti eum super opera manuum tuarum ». Et David in
30 persona Christi, ut creditur, ait: « Ego autem constitutus sum rex ab eo super Syon, montem sanctum eius ». Et sic secundum intentionem hanc, nobilis est hec creatio sive factura bonorum, de qua forsan Ecclesiastes ait: « Cuncta fecit Deus bona in tempore suo ». Et iterum: « Didici quod omnia opera que

---

11 *ms* filii   20 *ante* apud *lacuna*   28 *ms* visitans

---

1 Isa. 18, 2   11 Matth. 1, 20   14 Sap. 11, 18   15 Gen. 2, 7   17 Eccli.
38, 4   18 Eccli. 17, 1   28-29 Hebr. 2, 6-7   30 Ps. 2, 6   32 Eccle. 3, 11
33 Eccle. 3, 14

fecit deus perseverant in perpetuum; et non possumus eis quicquid addere
neque aufferre que fecit deus ut timeatur». Et Ihesus filius Syrach ait: «Universa opera domini bona valde». Et in libro Sapientie scriptum est: «Quam
desiderabilia sunt omnia opera eius! Omnia hec vivunt et manent in seculum et in omni necessitate omnia obediunt ei». Et David ait: «Quam ma-   5
gnificata sunt opera tua, domine! omnia in sapientia fecisti». Et iterum:
«Ordinatione tua perseverant dies, quoniam omnia serviunt tibi». Et iterum:
«Dixit, et facta sunt, mandavit et creata sunt, et statuit ea in eternum et in
seculum seculi».

    Et sic videtur manifeste, quod hec nobilis creatio et factura bonorum a   10
domino deo vero in eternum et in seculum seculi est statuta. Quod secundum adversariorum sententiam, ut michi videtur, minime esse potest. Et maxime si omnino celi qui nunc sunt et terra et omnia elementa a calore ignis
sunt penitus disolvenda, sicut beatus Petrus secundum illos, ut creditur, est
testatus.   15

De secunda creatione et factura.

    De secunda vero factura et creatione, de qua superius dixi quod creare
et facere est aliquid addere super essentias illorum qui mali effecti erant,
ipsos in bonis operibus ordinando, modo declarare disposui. Apostolus enim
ad Ephesios ait: «Ipsius enim sumus factura, creati in Christo Ihesu, in ope-   20
ribus bonis que preparavit deus, ut in illis ambulemus». Et David ait:
«Omnia te expectant, ut des illis escam in tempore; dante te illis, colligent,
et aperiente te manum tuam omnia implebuntur bonitate; advertente autem
te faciem, turbabuntur; aufferes spiritum eorum et deficient et in pulverem
suam revertentur. Emittes spiritum tuum, et creabuntur: et renovabis faciem   25
terre».

Solutio auctoritatis Esaye, scilicet Ego dominus et non est alter.

    Et dominus per Ysaiam ait: «Ego dominus et non alter est formans
fol. 15r lucem et creans tenebras, faciens pacem et creans malum; ego dominus
faciens omnia hec». Que auctoritas potest ita intelligi, quasi dicat: Non   30
est alius dominus formans lucem nisi ego — idest Christum, qui vera lux est

---

    4 hec *sup. lin.*   25 suam *sic ms*   25 emittes *ex* emittens *cor. ms*
27 *ms* autoritas; *rub. in marg. inf.*   31 *lege* idest formans Christum

---

    2 Eccli. 39, 21   3 Sapient. *revera* Eccli. 42, 23-24   5 Ps. 103, 24   7 Ps.
118, 91   8 Ps. 148, 5-6   14 Cf. II Pet. 3, 10   20 Ephes. 2, 10   22-26 Ps.
103, 27-30   28 Isa. 45, 6-7

« illuminans omnem hominem venientem in hunc mundum », ut beatus Iohannes in evangelio ait. Et creans tenebras — idest gentilem populum in bonis
operibus, ut supra ostensum est, qui tenebrosus erat effectus, ambulans in
tenebras, sicut in evangelio legitur: « Populus gentium qui ambulabat in
5 tenebris vidit lucem magnam ». Et Apostolus ad Ephesios ait: « Eratis enim
aliquando tenebre, nunc autem lux in domino; ut filii lucis ambulate ».
Faciens pacem — idest Christum, qui fuit nostra pax, sicut Apostolus de
ipso ad Ephesios ait: « Ipse enim est pax nostra; qui fecit utraque unum, et
medium parietem macerie solvens ». Vel faciens pacem inter populum gen-
10 tilem et populum Israeliticum, sicut in eadem epistola continetur: « In unum
novum hominem faciens pacem, et reconcilians ambos in uno corpore deo;
et veniens evangelizavit pacem vobis qui longe fuistis, et pacem his qui
prope, quoniam per ipsum accessum habemus ambo in uno spiritu ad
patrem ». Et creans malum — idest populum Israeliticum in bonis operibus
15 qui malus erat effectus, sicut Christus in evangelio beati Mathei de ipso ait:
« Si ergo vos, cum sitis mali, nostis bona data dare filiis vestris, quanto magis
pater vester qui in celis est dabit bona petentibus se! » Et sic dicitur dominus creare tenebras atque malum; quod secundum adversariorum sententiam minime esse potest, qui credunt quod creare est ex nichilo aliquid
20 facere, quorum sententia clarissime reprobatur. Verum et si dominus deus
verus proprie et principaliter creasset tenebras atque malum sine dubio esset
causa et principium omnis mali, quod vanissimum est et malum opinari.

De factura illorum qui mali erant effecti.

De factura autem illorum qui mali erant effecti, Paulus ad Corinthios
25 secunda ait: « Sed sufficientia nostra ex deo est, qui et idoneos nos fecit
ministros novi testamenti, non littera sed spiritu: littera enim occidit, spiritus
autem vivificat ». Et iterum ad Collosenses idem ait: « Gratias agentes deo *fol. 15v*
et patri qui dignos nos fecit in parte sortis sanctorum in lumine veritatis ».
Et idem ad Corinthios ait: « Si qua ergo in Christo nova creatura, vetera
30 transierunt: et ecce facta sunt omnia nova ». De hac quoque factura, ut creditur, beatus Iohannes in Apocalipsi ait: « Et dixit qui sedebat in trono:
ecce nova facio omnia ». Unde, secundum intentionem hanc, dominus deus
noster creator sive factor nominatur, scilicet constituens peccatores in bonis
operibus, sicut satis evidenter superius declaratum est.

---

1 Ioan. 1, 9   4 Matth. 4, 16 *ex* Isa. 9, 2   5 Ephes. 5, 8   8 Ephes 2, 14
10 Ephes. 2, 15–18 *omittuntur verba* per crucem interficiens inimicitias in semetipso
vers. 16   16 Matth. 7, 11   25 II Cor. 3, 5-6   27 Col. 1, 12   29 II Cor.
5, 17   31 Apoc. 21, 5

De creatione tertia et factura.

De creatione vero tertia et factura — de qua superius dixi quod creare et facere dicitur quando aliquid permittitur per dominum deum verum ei qui penitus malus est vel ministro illius, qui perficere non potest quod desiderat nisi ipse bonus dominus eius dolositatem ad tempus sustinuerit pacienter, 5 ad honorem sui et dedecus illius nequissimi eius hostis — per divinas rationes intentionem meam volui assignare.

Ait enim propheta Ezechiel de rege Asur, qui diabolo figuratur: « Cedri non fuerunt altiores illo in paradiso dei; abietes non adequaverunt sumitatem illius et platani non fuerunt eque frondibus eius: omne lignum paradisi dei 10 non est assimilatum ei et pulcritudini eius; quoniam speciosum fecit eum ex multis condensisque frondibus, et emulata sunt eum omnia ligna voluptatis, que erant in paradiso dei ». Et per Ysaiam dominus ait: « Ego creavi fabrum suflantem in ignem prunas, proferentem vas in opus suum; ego creavi interfectorem ad disperdendum ». Et iterum: « Ego dominus et non est alter 15 formans lucem et creans tenebras, faciens pacem et creans malum: ego dominus faciens omnia hec ». Et David ait: « Iste draco quem formasti ad illudendum ei ». Et in libro Iob dominus ad eum ait: « Ecce Beemoth quem *fol. 16r* feci tecum, fenum ut bos comedet ». Unde, si per Asur et per fabrum, per interfectorem, per tenebras atque malum, per draconem et per Beemoth 20 intelligatur ille qui summum omnium malorum principium est, necessario ita oportet intelligi creare tenebras atque malum et interfectorem et cetera, idest sufferre dolositatem et malitiam illius nequissimi eius hostis contra suos usque ad tempus, ut permitteret eos conculcari propter peccata eorum. Et sic dicitur dominus deus noster facere malum, quod non vetat propter 25 peccata nostra, sicut Ysaias ait: « Ipse autem sapiens adduxit malum, et verba sua non abstulit ». Et per Ieremiam idem Dominus ait: « Quia malum ego adduco ab aquilone et contritionem magnam ». Et per Abacuch ipse dominus ait: « Quia ego suscitabo Caldeos, gentem amaram et vellocem, ambulantem super latitudinem terre, ut possideant tabernacula non sua ». Et 30 per Amos dominus ait: « Si clanget tuba in civitate, et populus non expavesset? Si malum erit in civitate, quod dominus non fecit? » Et beatus Iob ait: « Habundant tabernacula predonum, et audacter provocant deum, cum ipse dederit omnia in manibus eorum ». Et Daniel propheta de rege Babilonis

---

5 *post* tempus *add. et del.* secundum quid   10 platani: *ms* plantani   27 abstulit: *ms* astulit   28 contritionem magnam *scripsi*: *ms* contritio magna

---

8-13 Ezech. 31, 8-9   13-15 Isa. 54, 16   15 Isa. 45, 6-7   17 Ps. 103, 26   18 Iob. 40, 10   26 Isa. 31, 2   27 Ierem. 4, 6   28 Habac. 1, 6   31 Amos 3, 6   33 Iob. 12, 6

ait: « Tu rex regum es; et deus celi regnum et fortitudinem et imperium et
gloriam dedit tibi; et omnia in quibus habitant filii hominum, bestias agri
et volucres celi dedit in manu tua, et sub ditione tua universa constituit ».
Quod totum ad sufferentiam domini oportet intelligi, propter peccata populi,
5 sicut Eliu in libro Iob ait: « Et super gentes et super omnes homines, qui
regnare facit hominem ypocritam propter peccata populi », idest sustinet
regnare propter peccata populi. Sicut Apostolus ad Romanos ait: « Quod
si volens deus hostendere iram et notam facere potentiam suam, sustinuit
tamen in multa patientia vasa ire, aptata in interitum, ut hostenderet divitias
10 glorie sue in vasa misericordie ». Non autem quod malum facere sit proprie
et principaliter actio domini dei veri, alioquin — si non esset malum pro-   *fol. 16v*
prie et principaliter quod non faceret — verus deus esset penitus causa et
principium omnis mali, quod vanissimum est et stultum opinari.

Unde secundum intentionem nostram de plano solvere possumus, sci-
15 licet quod deus creavit tenebras atque malum et interfectionem et fecit Assur
et formavit draconem et multa alia contraria, que in divinis scripturis reperiuntur: scilicet sustinuit eos regnare super populum suum propter eorum
peccata; et secundum hoc dicuntur facti ab eo mali, scilicet sufferendo maliciam contra suos usque ad tempus. Et secundum hoc de plano concedere
20 possumus Sathan creatum esse a domino deo vero sive formatum, scilicet
post licentiam datam sibi affligendi Iob, quia per licentiam quam habuit a
domino deo vero fecit id quod per se ipsum facere non valebat; et sic potest
dici factum a deo esse, idest concessum principem populi, non simpliciter,
sed secundum quid improprie et per accidens.

25 Et non tantum super peccatores regnare concessum est illi, sed etiam
iustos temptare, sicut in evangelio beati Mathei de domino nostro Ihesu
Christo scriptum est: « Tunc Ihesus ductus est in desertum a spiritu ut temp-
taretur a diabolo ». Et beatus Marcus ait: « Et statim spiritus expulit eum
in desertum. Et erat in deserto quadraginta diebus et quadraginta noctibus,
30 et temptabatur a Sathana ». Et fidelis Lucas ait: «Ihesus autem plenus spiritus sancti egressus est a Iordane, et agebatur in spiritu in desertum diebus
quadraginta, et temptabatur a diabolo ». Et iterum: « Et consumata temptatione, diabolus recessit ab illo usque ad tempus ». Et de beato Iob illud idem
aperte invenitur, sicut ipse dominus ad Sathan ait: « Ecce universa que

---

3 ditione : *ms* dictione   12 *ms* non faceret verus deus. Esset penitus   20 esse
add. marg.   26 *post* domino *ms add. et del.* deo   29 deserto: *ms* serto   30 Ihesus
scripsi : *ms* Iohannes

1-3 Dan. 2, 37-38   5 Iob. 34, 29-30   7 Rom. 9, 22-23   27 Matth. 4, 1
28 Marc. 1, 12-13   30 Luc. 4, 1-2   32 Luc. 4, 13   34 Iob. 1, 12

possidet in manu tua sunt ». Et specialiter de ipso Iob ad Sathan ipse dominus ait: « Ecce in manu tua est, verumtamen animam illius serva ». Et de se idem Iob ait: « Conclusit me deus apud inicum et manibus impiorum me tradidit ». Et iterum: « Numquid tibi bonum videtur si calumnieris et oprimas *fol. 17r* me opus manuum tuarum, et conscilium impiorum adiuves? » Et Christus ad Pilatum ministrum Sathane in evangelio Iohannis ait: « Non haberes adversum me potestatem ullam, nisi esset tibi datum desuper », idest nisi hoc esset tibi concessum desuper, vel a deo potest intelligi. Et sic dicitur dominus deus noster facere malum quod non vetat aliqua rationabili de causa. Sicut de beato Iob aperte invenitur in libro Tobie ubi de Tobia dictum est: « Hanc autem temptationem ideo permisit deus venire illi, ut posteris daretur exemplum paciencie eius, sicut et sancti Iob ». Et beatus Iacobus ait: « Sufferentiam Iob audistis, et finem domini vidistis ».

Quod autem ita oporteat intelligi auctoritates supradictas, secundum intentionem illorum qui credunt quod creare est ex nichilo aliquid facere, sic probatur. Apostolus enim ad Thimotheum ait: « Omnis creatura dei bona est, et nichil est reiciendum ». Et Ecclesiastes ait: « Cuncta fecit deus bona in tempore suo ». Et in libro Sapientie scriptum est: « Cum sis iustus, iuste omnia disponis ». Non ergo creavit deus tenebras neque malum nec formavit draconem, si bona fecit deus et creavit ac iuste disposuit cuncta. Nec etiam consueverunt credere adversarii nostri quod deus diabolum formaverit in draconem sed in angelum speciosum, nec quod creaverit angelos demones neque tenebrosos, sed claros angelos et luminosos.

Quod deus non creavit tenebras neque malum.

Unde minime est credendum quod dominus deus verus simpliciter et directo creasset tenebras neque malum et maxime ex nichilo, sicut nostri adversarii proprie creare esse credunt. Et precipue cum beatus Iohannes in epistola prima dicat: « Quoniam deus lux est, et tenebre in eo non sunt ulle », et per consequentiam nec per ipsum. Non sunt ergo tenebre de universitate illa de qua Apostolus ad Romanos ait: « Quoniam per ipsum et in ipso et ex ipso sunt omnia ». Nec etiam de illa de qua idem ad Colosenses de Christo ait: « Quia in ipso condita sunt universa in celis et in terra, visibilia et invisibilia, sive troni sive dominationes sive principatus sive potestates: omnia per ipsum et in ipso creata sunt, et ipse est ante omnes, et

---

3 inicum *lege* iniquum

---

2 Iob. 2, 16　　3 Iob. 16, 12　　4 Iob 10, 3　　6 Ioan. 19, 11　　11 Tob. 2, 12
13 Iac. 5, 11　　16 I Tim. 4, 4　　17 Eccle. 3, 11　　18 Sap. 12, 15　　28 I Ioan.
1, 5　　30 Rom. 11, 36　　32 Col. 1, 16–17

omnia in ipso constant». Unde Christus de se ait: «Ego sum lux mundi; qui sequitur me non ambulat in tenebris, sed habebit lumen vite». Non sunt *fol. 17v* ergo tenebre simpliciter et directo create a domino deo nostro et filio eius Ihesu Christo, sed improprie et secundum quid, sicut satis evidenter supe-
5 rius monstratum est: quamvis secundum intentionem nostram auctoritates supradicte aliter exponi possint et sicut etiam videtur superius in aliquo esse factum.

Unde per hos tres modos supradictos et per alias difinitiones, que assignantur in divinis scripturis super omnia et alia universa signa, auctoritates
10 superius memorate recte secundum fidem nostram possunt exponi, scilicet quod dominus deus noster creavit et fecit omnia, videlicet celum et terram, mare et omnia que in eis sunt, et quod universa condidit deus in domino Ihesu Christo in celis et in terra, et quod omnia per ipsum et in ipso et ex ipso creata sunt, sicut superius in multis auctoritatibus est hostenssum.

---

5 *ms* mostratum

---

1 Ioan. 8, 12

[De signis universalibus]

Reprobatio quod per o m n i a et alia signa u n i v e r s a l i a non signi-ficantur bona et mala.

De illo autem de quo nostri adversarii contra nos multociens gloriantur diserere destinavi, scilicet quia volunt per hec universa signa, scilicet o m n i a, et u n i v e r s a, et c u n c t a, et alia signa que in divinis rationibus universitatem significant, illorum sententiam sepissime confirmare nichil inter substantias penitus discernendo, asserentes autem quod omnes omnino substancie, tam male quam bone, tam transitorie quam permanentes, a recto domino deo vero et sancto sint facte penitus et create. Cum adiutorio veri patris, illorum sententiam per divina testimonia cum verissimis argumentis disposui reprobare.

De universalibus signis.

Quare sciendum est quod supradicta universalia signa, quamvis dicantur universalia apud gramaticos, tamen apud sapientes divinos illud simpliciter minime esse potest, scilicet quod sub aliquo signo universitatis omnes omnino substancie et actiones penitus universe comprehendantur et etiam accidentia universa. Unde manifestum est quia dicuntur universalia apud sapientes secundum quod intentiones elloquentium capiunt, non quod sub aliquo signo universitatis simpliciter et directo penitus omnia bona et mala capiantur, et precipue cum non participent insimul bona et mala, nec penitus ab invicem esse possint, cum se destruant invicem et impugnent summa et continua repugnantia.

Quare sciendum est quod supradicta signa universalia in divinis auctoritatibus pluribus modis accipiuntur. Sunt enim quedam universalia signa que bona sunt et munda et facta in sapientia et desiderabilia valde et per-

---

manentia in seculum, que obediunt domino deo nostro in omni necessitate, sicut in divinis scripturis manifeste reperitur. Sunt vero et alia universalia signa que mala sunt et vana et transitoria et deponenda, que a fidelibus Ihesu Christi sunt ut stercora arbitranda ut dominum nostrum lucrifaciant
5 Ihesum Christum. Sunt enim et alia universalia signa que fuerunt condam sub potestate regis Babilonie, ut legitur, constituta, que in manus predonum tradenda erant, et a rege facie imprudenti pocius devastanda; et que etiam signa ut creditur, a scriptura sub peccato fuerunt conclusa, ut promissio ex fide Ihesu Christi daretur credentibus; que etiam in incredulitate a domino
10 dei vero conclusa fuerunt ut omnium illorum misereretur deus. Unde hec universalia signa reconcilianda, restituenda, instauranda, innovanda, adimplenda et vivificanda erant a domino deo nostro et filio eius Ihesu Christo, sicut evidenter perpenditur in scripturis.

De bonis universalibus signis.

15 De illis vero universalibus signis, de quibus superius dixi, que bona sunt et munda et facta in sapientia et cetera, per divinarum scripturarum testimonia intentionem verissimam volui demonstrare. Apostolus enim in prima epistola ad Thimotheum ait: « Omnis creatura dei bona est, et nichil est reiciendum ». Et Ecclesiastes ait: « Cuncta fecit deus bona in tempore suo ».
20 Et Ihesus filius Syrach ait: « Didici quod omnia opera que fecit deus perseverant in perpetuum, et non possumus eis quicquid addere neque aufferre, que fecit deus ut timeatur ». Et in libro Sapientie scriptum est: « Quam desiderabilia sunt omnia opera eius ! Omnia hec vivunt et manent in eternum et in *fol. 18v* omni necessitate omnia obediunt ei ». Et David ait: « Quam magnificata sunt
25 opera tua, domine ! omnia in sapientia fecisti ». Et iterum: « Ordinatione tua perseverant dies, quoniam omnia serviunt tibi ». Et Apostolus ad Romanos ait: « Omnia quidem munda sunt ». Et iterum: « Omnia munda mundis ». Et iterum: « Scimus autem quoniam diligentibus deum omnia cooperantur in bonum » et cetera.
30 Et sic per divina testimonia manifeste probatur, quod supradicta universalia signa valde bona sunt et munda et permanentia in seculum. Unde apud sapientes videtur impossibile, quod sub illis universalibus signis simpliciter et directo bona et mala, transitoria et permanentia omnino comprehendantur, sicut satis evidenter potest a sapientibus reperiri.

---

7 imprudenti *sic ms*   10 miserretur *ex* miseraretur *cor. ms*   17 *ms* demostrare

---

4 Cf. Phil. 3, 7-8   6 Cf. Dan. 8, 23-25   18 I Tim. 4, 4   19 Eccle. 3, 11
20 Ihesus filius Syrach *scilicet* Eccles. 3, 14   22 Sap. *revera* Eccli. 42, 23-24   24 Ps.
103, 24   25 Ps. 118, 91   27 Rom. 14, 20   27 Tit. 1, 15   28 Rom. 8, 28

De universalibus signis que mala sunt.

De illis vero universalibus signis, de quibus superius dixi, que mala sunt
et vana et transitoria et deponenda, et cetera, modo ostendendum est. Ait
enim Ecclesiastes: « Vanitas vanitatum et omnia vanitas ». Et iterum: « Vidi
cuncta que fiunt sub sole, et ecce universa vanitas et aflictio spiritus ». Et   5
iterum: « Omnia tempus habent, et suis spatiis transeunt universa sub sole.
Tempus nascendi et tempus moriendi ». Et iterum: « Cuncta subiacent vani-
tati et omnia pergunt ad unum locum; de terra facta sunt et in terra pariter
revertuntur ». Et iterum: « Teduit me vite mee videntem mala esse universa
sub sole et cuncta vanitatem atque aflictionem spiritus ». Et Apostolus ad   10
Colosenses ait: « Si mortui estis cum Christo ab elementis huius mundi, quid
adhuc tanquam viventes in hoc mundo decernitis? Neque tetigeritis, neque
gustaveritis, neque contractaveritis, que sunt omnia in interitu ipso usu ».
Et ad Philipenses idem ait: « Si quis alius videtur confidere in carne, ego
magis, circumcisus octava die, ex genere Israel, de tribu Beniamin, Hebreus   15
ex Hebreis, secundum legem phariseus; secundum emulationem persequens
ecclesiam dei; secundum iustitiam que in lege est, conversatus sine querela.
fol. 19r Sed que michi fuerunt lucra, hec arbitratus sum propter Christum detrimenta.
Verumtamen arbitror omnia detrimenta esse propter eminentem scientiam
Ihesu Christi domini mei, propter quem omnia detrimentum facio, et arbitror   20
ut stercora ut Christum lucrifaciam ». Et in evangelio beati Mathei Christus
ad scribam ait: « Si vis perfectus esse, vade, et vende omnia que habes »,
idest dimitte omnia que possides carnaliter secundum legem. Unde sequitur:
« Tunc respondens Petrus dixit illi: Ecce nos relinquimus omnia et secuti
sumus te, quid ergo erit nobis? » Qui respondens ait: « Quia vos qui reli-   25
quistis omnia et secuti estis me » et cetera. Et Apostolus ad Colosenses ait:
« Nunc autem deponite et vos omnia, iram, detractionem, indignationem,
malitiam, blasphemiam » et cetera. Et beatus Iohannes in epistola prima ait:
« Nolite diligere mundum, neque ea que in mundo sunt. Si quis diligit mundum, non est caritas patris in eo, quoniam omne quod in mundo est, concupi-   30
scentia carnis est et concupiscentia oculorum et superbia vite, que non ex
patre sed ex mundo est » et cetera.
     Et sic aperte sciendum est, quod hec signa universalia que mala sunt
et vana et transitoria non sunt eiusdem conditionis cum aliis supradictis
universalibus signis, que bona sunt et munda et desiderabilia valde et perma-   35

---

6 *ms* spanciis   13 contractaveritis *ms*   19 *ms* scientia   29 diligere *add. marg.*

4-10 Eccle. 1, 2; 1, 14; 3, 1-2; 3, 19-20; 2, 17   11-13 Col. 2, 20-22
14-21 Phil. 3, 4-8   22 Matth. 19, 21   24 Matth. 19, 27   25 Cf. Matth. 19, 28
27 Col. 3, 8   29 I Ioan. 2, 15-16

nentia in seculum. Et precipue cum non participent insimul, nec sub aliqua universitate ullo modo esse possint, cum se destruant invicem et impugnent, nec ab una causa simpliciter esse possint.

De illis universalibus signis que propter peccata eorum constituta fuerunt
5 *sub potestate regis Babilonie.*

De illis vero universalibus signis, que quondam sub potestate Babilonie regis constituta fuerunt, que etiam in manus predonum tradenda erant et a rege facie imprudenti pocius devastanda, modo disposui declarare; que etiam signa, ut creditur, reconcilianda, restituenda, instauranda, adimplenda
10 et vivificanda erant a domino deo vero et filio eius Ihesu Christo, sicut evidenter perpenditur in scripturis. Ait enim propheta Daniel ad Nabuchodonasor regem Babilonie: « Tu rex regum es, et deus celi regnum et fortitudinem et imperium et gloriam dedit tibi, et omnia in quibus habitant filii hominum, bestie agri et volucres celi dedit in manu tua, et sub ditione tua
15 universa constituit ». Et iterum: « Et post regnum eorum, cum creverit ini- *fol. 19v* quitas consurget rex impudens facie et intelligens propositiones. Et robora- bitur fortitudo eius, sed non in viribus suis; et supra quam credi potest, universa vastabit, et prosperabitur, et faciet. Et interficiet robustos, et populum sanctorum secundum voluntatem suam, et dirigetur dolus in manu eius;
20 et cor suum magnificabit, et in copia rerum omnium occidet plurimos; et contra principem principum consurget ». Et Iob ait: « Habundant tabernacula predonum, et audacter provocant deum, cum ipse dederit omnia in manibus eorum ». Quod totum intelligas propter peccata populi, sicut supradictus Daniel de cornu modico mentionem faciens ait: « Robur autem datum
25 est contra iuge sacrificium propter peccata, et prosternetur veritas in terra ». Et Eliu in libro Iob ait: « Et super gentes et super omnes homines, qui regnare facit hominem ypocritam propter peccata populi ». Et sic supradicta universalia signa propter peccata eorum fuerunt condam, ut creditur, sub peccato conclusa et etiam in incredulitate et data in manibus pre-
30 donum et constituta sub potestate regis Babilonie, ut in novissimis temporibus relicta malitia illorum omnium misereretur deus. Apostolus enim ad Galathas ait: « Conclusit scriptura omnia sub peccato, ut promissio ex fide Ihesu Christi daretur credentibus ». Et ad Romanos idem ait: « Conclusit deus omnia in incredulitate, ut omnium misereatur ».

---

14 ditione *scripsi*: *ms* dictione   31 miser retur *ex* miseraretur *cor ms*

12-15 Dan. 2, 37-38   15-21 Dan. 8, 23-25   21 Iob. 12, 6   24 Dan. 8, 12
26 Iob. 34,29-30   32 Gal. 3, 22   33 Rom. 11, 32

8

De misericordia domini dei nostri.

Unde dominus deus noster propter nimiam caritatem suam qua dilexit nos misertus est nostri, prout Apostolus notat ad Ephesios: «Et cum essemus mortui peccatis convivificavit nos in Christo». Et «non ex operibus que fecimus nos, sed secundum suam magnam misericordiam salvos nos 5 fecit, per lavacrum regenerationis et renovationis spiritus sancti, quem effudit in nobis habunde per Ihesum Christum salvatorem nostrum; ut iustificati gratia ipsius, heredes simus secundum spem vite eterne», ut idem ad Titum ait. Unde in libro Sapientie scriptum est: «Tu autem, deus noster, suavis et verus es, paciens, in misericordia disponens omnia». Et iterum: «Sed 10 misereris omnium quoniam omnia potes, disimilans peccata hominum propter penitentiam; diligis enim omnia que sunt, et nichil hodisti horum que fecisti; nec enim odiens aliquid constituisti. Quomodo posset aliquid permanere, nisi tu voluisses? aut quod a te vocatum non esset conservaretur? Parcis autem omnibus quoniam tua sunt, domine, qui animas amas». Et iterum: «Neque 15 herba neque malagma sanavit eos, sed sermo tuus, domine, qui sanat omnia». Et David aid: «Omnia te expectant, ut des illis escam in tempore; dante te illis, colligent; aperiente autem te manum tuam, omnia implebuntur bonitate». Et Christus in evangelio Iohannis ait: «Et ego si exaltatus fuero a terra, omnia traham ad meipsum». Et sic manifeste reperitur per divinas 20 rationes quod suorum omnium vult misereri deus.

fol. 20r

De reconciliatione universorum signorum.

Quod autem supradicta signa universalia reconcilianda sint, restituenda, instauranda, adimplenda et iustificanda a domino deo nostro et filio eius Ihesu Christo, manifeste per divina testimonia potest reperiri. Apostolus 25 enim de domino nostro Ihesu Christo ad Colosenses ait: «Quia in ipso complacuit omnem plenitudinem divinitatis habitare corporaliter et per eum reconciliari omnia in ipsum, pacificans per sanguinem crucis eius sive que in celis sive que in terris sunt». Et in evangelio Mathei Christus ait: «Elias quidem venturus est et restituet omnia». Et Apostolus ad Ephesios ait: 30 «Ut notum nobis faceret sacramentum voluntatis sue, secundum bonum placitum eius, quod proposuit in eo, in dispensationem plenitudinis temporum instaurare omnia in Christo, que in celis et que in terris sunt, in ipso». Et

---

2 qua : *ms* que   16 malagma : *ms* malagina   10 *ms* dispones

---

3 Ephes. 2, 5   4-8 Tit. 3, 5-7   9 Sap. 15, 1   10 15 Sap. 11, 24-27
15 Sap. 16, 12   17 Ps. 103, 27-28   19 Ioan. 12, 32   26 Col. 1, 19-20 *editio
clementina omittit* divinitatis habitare corporaliter   29 Matth. 17, 11   31 Ephes.
1, 9-10

in Apocalipsi scriptum est: « Et dixit qui sedebat in trono: ecce nova facio
omnia ». Et Apostolus de Christo, ut creditur, ad Ephesios ait: « Qui descendit, ipse est et qui ascendit super omnes celos, ut adimpleret omnia ». Et
in prima epistola idem ad Timotheum ait: « Precipio tibi coram deo, qui
5 vivificat omnia ». Invenitur tantum manifeste hoc signum universale, scilicet
o m n i a, fuisse subiectum per dominum deum verum sub pedibus Ihesu
Christi, sicut David ait et Apostolus notat ad Hebreos, qui ait: « Omnia
subiecit sub pedibus eius. In eo enim quod omnia ei subiecit, nihil dimisit *fol. 20v*
non subiectum ei; nunc autem necdum videmus omnia subiecta ei ». Et iterum
10 ad Corinthios prima idem ait: « Omnia enim subiecit sub pedibus eius. Cum
autem dicat: Omnia sunt subiecta ei, sine dubio preter eum qui subiecit ei
omnia. Cum autem subiecta fuerint illi omnia, tunc et ipse filius subiectus
erit illi qui sibi subiecit omnia, ut sit deus omnia in omnibus ».

Quod universa bona et mala non sint ab una eadem causa.

15 Quare apud sapientes manifestum est quod per hec signa universalia,
scilicet o m n i a et u n i v e r s a et c u n c t a et alia signa que in divinis
scripturis reperiuntur non comprehenduntur bona et mala, munda et poluta,
transitoria et permanentia; et maxime cum sint adversa penitus et contraria,
nec ab una causa simpliciter esse possint. Ait enim Ihesus filius Syrach:
20 « Contra malum bonum est, et contra mortem vita; sic et contra virum
iustum peccator. Et sic intuere in omnia opera altissimi ». Et Paulus ad
Corinthios secunda ait: « Que enim participatio iustitie cum iniquitate? aut
que societas lucis ad tenebras? Que autem conventio Christi ad Belial? aut
que pars fidelis cum infideli? Quis autem consensus templo dei cum ydolis? »
25 Quasi dicat: non participat insimul simpliciter iustitia cum iniquitate, nec lux
cum tenebris, nec Christus conventionem habet cum Belial, quod ita oportet
intelligi cum non sint hec adversa et contraria ab una eadem causa.
Alioquin si iustitia et iniquitas, lux et tenebre, Christus et Belial, fidelis et
infidelis simpliciter et directo fuissent a summa omnium bonorum causa, par-
30 ticiparent insimul et convenirent nec destruerent se invicem, sicut cotidie
bona et mala faciunt evidenter, sicut aperte superius hostensum est « contra
malum bonum est, et contra mortem vita est » et cetera.
Sequitur autem adhuc quod sit aliud principium mali, quod capud et
causa est omnis iniquitatis, polutionis et infidelitatis, et etiam omnium tene-
35 brarum; alioquin ipse deus verus, qui fidelissimus est et iustitia summa et
munditia pura, esset penitus causa et principium omnis mali, et omnia
adversa atque contraria ab ipso domino penitus emanarent: quod vanissimum est et stultum opinari.

1 Apoc. 21, 5   2 Ephes. 4, 10   4 I Tim. 6, 13   7 Heb. 2, 8; cf. Ps. 8, 8
10 I Cor. 15, 26–28   20 Eccli. 33, 15   22 II Cor. 6, 14–16

[Compendium ad instructionem rudium]

De creatione celi et terre et maris.

De creatione autem celi et terre et maris, de quibus superius ostensum est, ad instructionem rudium sub compendio disserere destinavi. Dico enim quod per celos aliquando et per terram in divinis scripturis intelligibiles dei 5 veri creature, que intelligere et audire possunt, intelliguntur, et non tantum permutabilia et irrationabilia elementa huius mundi. Sicut David ait: « Celi enarrant gloriam dei, et opera manuum eius annunciat firmamentum ». Et iterum: « Audite celi, que loquar; audiat terra verba oris mei ». Et Ysayas ait: « Audite celi, et auribus percipe terra, quia dominus locutus est ». Et 10 David ait: « Terra, terra audi sermonem domini ». Et iterum: « In mari vie tue et semite tue in aquis multis ». De quibus viis ipse David ait, ut creditur: « Universe vie domini misericordia et veritas ».

Accipitur etiam per celum et terram et mare celestis status. Sicut beatus Iohannes in Apocalipsi ait: « Et omnem creaturam que in celo est et super 15 terram et sub terra et que sunt in mari et que in eo, omnes audivi dicentes: sedenti in trono et agno benedictio et honor et gloria et potestas in secula seculorum ». Et David ait: « Credo videre bona domini in terra viventium ». Et iterum: « Spiritus tuus bonus deducet me in terram rectam ». Et Salomon ait: « Iusti hereditabunt terram et in seculum seculi permanebunt in ea ». 20 Et Christus precepit « non iurare per celum, quia tronus dei est » — de quo forsan David ait: « Tronus tuus, deus, in seculum seculi » — « neque per terram ». Subiuncxit dominus: « Quia scabellum est pedum eius ». De

---

1 *addidi*   4 *ms* instrutionem   7 permutabilia *coni.*: *ms* permuta

7 Ps. 18, 1   9 Deut 32, 1   10 Isa. 1, 2   11 David *revera* Ieremias 22, 29
11 Ps. 76, 20   13 Ps. 24, 10   15 Apoc 5, 13   18 Ps. 26, 13   19 Ps. 142, 10
20 Salomon *revera* David, Ps. 36, 29   21-23 Cf. Matth. 5, 34-35   22 Ps. 44. 7:
cf. Hebr. 1, 8

quo scabello David, ut creditur, ait: « Timete dominum deum nostrum et adorate scabellum pedum eius, quoniam sanctum est ».

Et de hac creatione concedo dominum deum nostrum esse creatorem et factorem, et non de infirmis et egenis elementis istius mundi, de quibus Apo-
5 stolus forsan ad Galathas ait: « Quomodo convertimini iterum ad infirma et egena elementa quibus denuo servire vultis? » Et ad Colosenses idem ait: *fol. 21v* « Si mortui estis cum Christo ab elementis huius mundi, quid adhuc tanquam viventes in hoc mundo decernitis? Ne tetigeritis, neque gustaveritis, neque contractaveritis; que sunt omnia in interitu ipso usu ». Quare minime
10 concedendum est dominum deum nostrum esse creatorem nec factorem mortis, nec de his que simpliciter sunt in morte, sicut in libro Sapientie scriptum est: « Quoniam deus mortem non fecit nec letatur in perditione vivorum ». Est enim sine dubio creator alius sive factor qui caput et causa est mortis et perdicionis et etiam omnis mali, sicut superius satis evidenter ostensum est.

15 *De omnipotentia domini dei veri.*

De omnipotentia autem domini dei veri, qua nostri adversarii contra nos multociens gloriantur, affirmantes quod non sit potestas vel potentia alia nisi sua, declarare disposui.

Quamvis per testimonia divinarum scripturarum dominus deus verus
20 omnipotens esse dicatur, tamen minime est credendum quod dicatur omnipotens ideo quia possit facere et quod faciat cuncta mala, cum sint mala multa que verus deus facere non potest, nec poterit unquam. Ait enim Apostolus ad Hebreos: « Impossibile est mentiri deum ». Et in secunda epistola idem ad Thimotheum ait: « Si enim non credimus, ille fidelis permanet;
25 negare seipsum non potest ». Nec etiam credendum est quod bonus deus possit omnino destruere seipsum, nec facere penitus cuncta mala contra omnem rationem et iustitiam. Et maxime cum ipse non sit prorsus causa illius mali. Et si dicerent imo bene possumus dicere dominum deum verum esse omnipotentem ideo quia potest facere et facit cuncta bona et ideo quia
30 potest facere mala universa, etiam mentiri et destruere seipsum si vellet, sed non vult,

Quod deus non potest facere mala.

Responsio plana est. Si enim deus non vult mala universa, nec mentiri, nec destruere seipsum, sine dubio non potest, quia illud quod deus simpliciter

---

9 *post* quare *ms add. et del.* mirandum est   12 est *sup. lin.*   32 *sic disting. ms*

---

1 Ps. 98, 5   5 Gal. 4, 9   7 Col. 2, 20-22   12 Sap. 1, 13   23 Heb.
6, 18   24 II Tim. 2, 13

non vult non potest, et illud quod simpliciter non potest non vult. Et secun-
fol. 22r dum hoc potencia peccandi et faciendi mala universa non est in domino deo
vero. Sequens ratio hec est: Quia quicquid predicatur de deo est ipse deus-
met, et maxime cum ipse non sit compositus nec habeat accidentia ullo modo
apud sapientes; et sic sequitur necessario quod ipse deus et voluntas eius   5
sint unum et idem. Non potest ergo bonus deus mentiri nec facere cuncta
mala si non vult, quia illud quod ipse non vult non potest facere verus deus,
cum ipse et eius voluntas sint unum et idem, sicut supra dictum est.

Quod deus non potest facere alium deum.

Sed possum cum ratione adhuc dicere sine metu quod ipse deus verus   10
cum omnibus viribus suis non potuit nec potest nec poterit unquam facere
alium deum et dominum et creatorem similem sibi et coequalem in omnibus,
nec cum voluntate nec sine voluntate nec ullo modo: quod probo.

Dico enim quod illud est impossibile quod bonus deus possit facere alium
dominum similem sibi in omnibus, scilicet eternum et sempiternum, creatorem   15
et factorem omnium bonorum, et sine inicio et fine, qui nunquam fuisset
factus nec creatus nec genitus ab aliquo sicut bonus deus non fuit factus
nec creatus nec genitus ab aliquo. Nec propter hoc in divinis scripturis dominus deus verus impotens nominatur. Unde firmiter est credendum quod
bonus deus non dicitur omnipotens ideo quia possit facere, [fecerit vel]   20
faciat cuncta mala que fiunt et facta sunt et erunt adhuc, sed quia omnipotens est de omnibus bonis que fuerunt et sunt et erunt, et precipue cum
ipse sit prorsus causa et principium omnis boni et non ullius mali proprie et
principaliter per se ullo modo. Sequitur ergo quod verus deus dicatur omnipotens esse apud sapientes de omnibus que fecit et facit et faciet in futuro,   25
et non dicitur omnipotens penes illos qui recte sentiunt ideo quia possit
facere illud quod non fecit nec facit nec faciet unquam. Et si dicunt quia
non vult, nichil facit contra me, cum ipse et eius voluntas sint unum et idem,
sicut superius ostensum est.

Quod deus non sit potens in malis, sed est alia potentia mala.   30

Quapropter firmiter est credendum, cum deus non sit potens in malis
ut faciat esse mala, quod aliud est principium mali, quod potens est in malis,
a quo mala descendunt universa que fuerunt et sunt et erunt, et de quo
fol. 22v forsan David ait: « Quid gloriaris in malicia, qui potens es [in] iniquitate?

---

17 *ante* sicut *add. et del.* Nec pro hoc   20 fecerit vel *supplevi*   34 in *supplevi*

34 Ps. 51, 3-5

Tota die iniusticiam cogitavit lingua tua; sicut novacula acuta fecisti dolum et dilecxisti maliciam super benignitatem, iniquitatem magis quam loqui equitatem».

Et beatus Iohannes in Apocalipsi ait: «Et proiectus est draco ille magnus,
5 serpens anticus qui vocatur diabolus et Sathanas, qui seducit universum orbem». Et Christus in evangelio Luce ait: «Semen est verbum dei; qui autem secus viam, hii sunt qui audiunt; deinde venit diabolus et tollit verbum de corde eorum ne credentes salvi fiant». Et propheta Daniel ait: «Aspiciebam, et ecce cornu illud faciebat bellum adversus sanctos et prevalebat eis donec
10 venit antiqus dierum et dedit iudicium sanctis excelsi» et cetera. Et iterum: «Et alius consurget post eos et ipse potencior erit prioribus, et tres reges humiliabit; et sermones contra excelsum loquetur et sanctos altissimi conteret et putabit quod possit mutare tempora atque leges». Et iterum: «Et factum est grande contra meridiem et contra orientem et contra fortitudi-
15 nem dei; et magnificatum est usque ad fortitudinem celi et deiecit de fortitudine et de stellis et conculcavit eas; et usque ad principem fortitudinis magnificatum est, et ab eo tullit iuge sacrificium et deiecit locum sanctificationis eius». Et beatus Iohannes in Apocalipsi ait: «Et visum est aliud signum in celo: et ecce draco magnus rufus, habens capita septem et
20 cornua decem, et in capitibus suis septem diademata; et cauda eius trahebat tertiam partem stellarum celi, et misit eas in terram». Et iterum: «Et data illi potestas facere menses quadraginta duos; et aperuit os suum in blasphemiam ad deum, blasphemare nomen eius et tabernaculum eius et eos qui in celo habitant; et datum est illi bellum facere cum sanctis et vincere illos».
25 Unde apud sapientes hoc impossibile penitus iudicatur, scilicet quod iste potens et eius potencia sive potestas simpliciter et directo sint a domino deo vero, qui cotidie contra deum et creaturam illius nequissime operatur; quem dominus deus noster fortiter nititur impugnare. Quod non faceret verus *fol. 23r* deus si omnino ab ipso esset in omnibus dispositionibus suis, ut aiunt fere
30 nostri adversarii universi.

De destructione potentis.

Quod autem dominus deus verus destructurus sit hunc potentem cum eius potestatibus universis, que contra eum et creaturam illius cotidie operantur, manifeste in divinis scripturis reperitur. Ait enim David de illo qui po-
35 tens est in iniquitate: «Propterea dominus destruet te in fine, et evellet te, et emigrabit te de tabernaculo tuo, et radicem tuam de terra viventium».

---

4 Apoc. 12, 9   6 Luc. 8, 11–12   8 Dan. 7, 21–22   11 Dan. 7, 24–25
13–17 Dan. 8, 9–11   18 Apoc. 12, 3–4   21 Apoc. 13, 5–7   35 Ps. 51, 7

Et David rogans deum suum adversus hunc potentem, ut creditur, ait:
« Contere brachium peccatoris et maligni; queretur peccatum illius et non
invenietur. Dominus regnabit in eternum et in seculum seculi». Et iterum:
« Et adhuc pusillum, et non erit peccator; et queres locum eius et non in-
venies». Et in parabolis Salomonis scriptum est: « In malicia sua expellitur   5
impius». Et Apostolus, de destructione istius potentis per adventum domini nostri Ihesu Christi mentionem faciens, ad Hebreos ait: « Ut per mortem
destrueret eum qui habebat mortis imperium, idest diabolum». Et sic dominus deus noster non solum hunc potentem destruere nisus est, sed etiam
universas potestates et dominationes que aliquando videbantur dominari per   10
ipsum potentem in boni domini creaturis, illius maligni imperio subiacentibus.
Sicut beata Maria virgo in evangelio secundum Lucam ait: « Deposuit potentes de sede et exaltavit humiles». Et Apostolus in prima ad Corinthios
ait: « Deinde finis, cum tradiderit regnum deo et patri suo, cum evacuaverit
omnem principatum et potestatem et virtutem et dominationem», « novissime   15
autem omnium inimica destruetur mors». Et ad Colosenses idem ait: « Gracias agentes deo et patri, qui dignos nos fecit in partem sortis sanctorum in
lumine veritatis, qui eripuit nos de potestate tenebrarum et transtulit in regnum filii dilectionis sue». Et iterum: « Et vos cum essetis mortui in delic-
fol. 23v tis et prepucio carnis vestre convivificavit vos cum illo, donans vobis omnia   20
delicta, delens quod adversus nos erat cyrographum decreti, quod erat
contrarium nobis, et ipsum tulit de medio, affigens illud cruci, exspolians principatus et potestates, traduxit confidenter, palam triumphans illos in semetipso». Unde beatus Paulus misus fuit a domino Ihesu Christo ad expolia-
tionem faciendam predicte potestatis, sicut in Actibus apostolorum de ipso   25
scriptum est: « In hoc enim apparui tibi ut constituam te ministrum et testem
eorum que vidisti, et eorum quibus apparebo tibi, erripiens te de populis et
gentibus in quas nunc ego mitto te apperire occulos eorum ut convertantur
de tenebris ad lucem et de potestate sathane ad dominum ut accipiant remissionem peccatorum et sortem inter sanctos per fidem que est in me». Et   30
Christus in evangelio beati Mathei ait: « Tanquam ad latronem existis cum
gladiis et fustibus comprehendere me; cotidie apud vos sedebam in templo
docens, et non me tenuistis». « Sed hec est hora vestra et potestas tenebrarum». Unde firmiter est credendum quod potestas sathane et tenebrarum a
domino deo vero simpliciter et directo minime esse potest. Alioquin si po-   35

---

6 adventum *ex* aventum *cor. ms*   7 hebreos *ex* hebres *cor. ms.*   28 te *sup.*
lin.   29 accipiant *scripsi: ms* a cipiant

---

2 Ps. 10, 15-16   4 Ps. 36, 10   5 Prov. 14, 32   7 Hebr. 2, 14   12 Luc.
1, 52   14 I Cor. 15: 24, 26   16 Col. 1, 12-13   19 Col. 2, 13-15   26 Act.
26, 16-18   31 Matth. 26, 55   33 Luc. 22, 53

testas sathane et tenebrarum in omnibus suis dispositionibus simpliciter et
directo fuissent a domino deo vero, cum potestatibus aliis et virtutibus et do-
minationibus universis, ut aiunt imperiti, Paulus cum ceteris fidelibus Ihesu
Christi de potestate tenebrarum rapti esse nullo modo potuissent. Et etiam
5 potestate sathane ad dominum deum verum aliquis se converti nullo modo
potuisset. Et precipue quia si aliquis extraheretur de potestate sathane et
tenebrarum extraheretur proprie et principaliter de potestate domini dei veri,
si omnino omnes potestates et virtutes ēt dominationes ab ipso bono deo
proprie et principaliter derivantur; nec etiam ipse dominus poterit expoliare
10 et evacuare potestatem aliam nisi suam, si nulla alia penitus invenitur, ut
aiunt adversarii universi illorum verorum christianorum qui Albanenses
recto nomine nuncupantur.

De principio malo. *fol. 24r*

Quapropter apud sapientes firmiter est credendum quod aliud est prin-
15 cipium mali, quod potens est in iniquitate, a quo potestas sathane et tenebrarum cum potestatibus aliis universis, que contrarie sunt domino deo vero,
proprie et principaliter derivantur, sicut superius monstratum est et infra
aparebit deo dante. Alioquin ipsa divina potentia impugnare et destruere et
contendere contra seipsam apud sapientes penitus videretur. Apostolus enim
20 ad Hephesios ait: « De cetero fratres, confortamini in domino et in potentia
virtutis eius. Induite vos armatura dei, ut possitis stare adversus ïnsidias
diaboli; quia non est nobis conluctatio adversus carnem et sanguinem, adversus principes et potestates, adversus mundi rectores tenebrarum harum,
contra spiritualia nequicie, in celestibus. Propterea accipite armaturam dei,
25 ut possitis resistere in die malo et in omnibus perfecti stare » et cetera. « In
omnibus sumentes scutum fidei, in quo possitis omnia tela nequissimi ïgnea
extinguere ». Et sic virtutes et potestates domini dei veri per ipsum cotidie
se invicem adversarentur si alia non esset potentia nisi sua; quod de vero
deo vanissimum est opinari. Sequitur autem sine dubio quod sit alia potentia
30 vel potestas non vera quam dominus deus verus cotidie nititur impugnare,
sicut superius contra sapientibus apertissime est ostensum.

De deo alieno et de multis diis.

Si quis autem rationes verissimas superius memoratas indisscrete despexe-
rit, sciat firmiter esse deum alium et dominum atque principem preter do-

---

21 ut *sup. lin.*   22 conluctatio *ex* luctatio *cor. ms*   25 *post* in[2] *lacuna*
30 *ms* nituntur

20-25 Ephes. 6 : 10-13, 16

minum deum verum per testimonia divinarum scripturarum evidenter reperiri.
Ait enim dominus per Ysaiam: « Sicut dereliquistis me et servistis deo alieno
in terra vestra, sic servietis diis alienis in terra non vestra ». Et iterum:
« Congregamini, et venite, et accedite simul qui salvati estis ex gentibus:
nescierunt qui levant signum sculture sue et rogant deum non salvantem ».   5
Et iterum: « Domine deus noster, possederunt nos domini absque te; tantum
in te recordamur nominis tui ». Et David ait: « Audi, popule meus, et con-
v testabor te Israel. Si audieris me, non erit in te deus recens neque adorabis
deum alienum ». Et iterum: « Si obliti sumus nomen dei nostri, et exspandimus
manus nostras ad deum alienum, none deus requiret ista? » Et iterum: 10
« Principes populorum congregati sunt cum deo Habraam, quoniam dii fortes
terre vehementer elevati sunt ». Et iterum: « Omnes dii gentium demonia ».
Et Sophonias ait: « Oribilis dominus super eos, et attenuabit omnes deos
terre ». Et Ieremias ait: « Inventa est coniuratio in viris Iuda et habitatoribus Ierusalem ». « Hii ergo abierunt post deos alienos, ut servirent eis » et   15
adorarent eos. Et iterum: « Quia derelinquerunt me patres vestri et abierunt
post deos alienos et servierunt eis et adoraverunt eos, et me derelinquerunt
et legem meam non custodierunt. Sed vos peius operati estis quam patres
vestri; ecce enim ambulat unusquique vestrum post pravitatem cordis sui
mali, ut me non audiat; eiiciam vos de terra hac in terram quam ignoratis,   20
vos et patres vestri; ibi servietis diis alienis die ac nocte, qui non dabunt
vobis requiem ». Et Malachias ait: « Trangressus est Iudas, et habominatio
facta est in Israel et in Ierusalem, quia contaminavit Iudas sanctificationem
domini, quam dilecxit, et habuit filiam dei alieni ». Et Micheas ait: « Quia
omnes populi ambulabunt unusquisque in nomine dei sui, nos autem ambu-   25
labimus in nomine domini dei nostri in eternum et ultra ». Et Apostolus
ad Corinthios in secunda ait: « Quod si etiam opertum est evangelium nostrum, in his qui pereunt est opertum; in quibus deus huius seculi excecavit
mentes infidelium, ut non fulgeat illuminatio evangeli glorie Christi, qui est
imago dei ». Et idem in prima ad Corinthios ait: « Nam etsi sunt qui di-   30
cantur dii, sive in celo sive in terra, siquidem sunt dii multi et domini multi,
nobis tamen unus deus ». Et Christus in evangelio Mathei ait: « Nemo potest duobus dominis servire: aut enim unum hodio habebit et alterum diliget,
aut unum sustinebit et alterum contempnet. Non potestis deo servire et ma-

---

1 *ms* reperii   8 *post* recens *ms add. et del.* facie   29 *ms* inluminatio
34 *ms* contepnet

---

2 Ysaias *revera* Ierem. 5, 19   4 Isa. 45, 20   6 Isa. 26, 13   7 Ps. 80, 9–10
9 Ps. 43, 21   11–12 Ps. 46, 10   12 Ps. 95, 5   13 Soph. 2, 11   14-15 Ierem. 11,
9–10   15–22 Ierem. 16, 11–13   22–24 Malach. 2, 11   24 Mich. 4, 5   27 II
Cor. 4, 3–4   30 I Cor. 8, 5–6   32 Matth. 6, 24

mone ». Et iterum in evangelio Iohannis Christus ait: « Venit enim princeps
mundi huius, et in me non habet quicquam ». Et iterum: « Nunc iudicium est
mundi; nunc princeps istius mundi eiicietur foras ». Et iterum: « Quia princeps huius mundi iam iudicatus est ». Et apostoli in Actibus suis dixerunt: *fol. 25ʳ*
5 « Quare fremuerunt gentes et populi meditati sunt inania? Adstiterunt reges
terre, et principes convenerunt in unum adversus dominum et adversus Christum eius. Convenerunt enim vere in civitate ista adversus sanctum puerum
tuum Ihesum, quem unxisti, Herodes et Pontius Pilatus cum gentibus et populis Israel » et cetera. Et sic videtur manifeste quod plures dii et domini
10 atque principes adversi domino deo vero et filio eius Ihesu Christo per testimonia divinarum scripturarum evidenter possunt reperiri, sicut superius
aperte ostensum est.

Quod inveniatur eternitas mala.

Quod autem eternitas et sempiternitas et antiquitas in aliis et in alio in-
15 veniatur preter in domino deo vero, plane possumus ostendere per scripturas.
Christus in evangelio Mathei ait: « Tunc dicet rex his qui a sinistris eius
erunt: discedite a me, maledicti, in ignem eternum, qui paratus est diabolo
et angelis eius ». Et beatus Iudas Iacobi ait: « Angelos vero qui non serva-
verunt suum principatum, sed derelinquerunt suum domicilium, in iudicio
20 magni diei, vinculis eternis sub caligine reservavit ». Et iterum: « Sicut So-
doma et Gomorra et finitime civitates, simili modo exfornicate et abeuntes
post carnem alteram, facte sunt exenplum, ignis eterni penam sustinentes ».
Et beatus Iob ait: « Ubi umbra mortis et nullus ordo, sed senpiternus orror
inhabitat ». Et per Ezechielem dominus de monte Seyr ait: « In solitudines
25 senpiternas tradam te ». Et iterum: « Ecce ego ad te, mons Seyr, ait dominus, extendam manum meam super te et dabo te desolatum atque desertum,
et urbes tuas demoliar et tu desertus eris; et scies quia ego dominus, eo quod
fueris inimicus sempiternus et concluseris filios Israel in manum gladii in
tempore afflictionis eorum, in tempore iniquitatis extreme », qui per diabolum
30 figuratur, qui inimicus dei veri est, ut in evangelio beati Mathei notavit Christus. Et Apostolus in secunda ad Tesalonicenses ait: « Qui etiam penas dabunt in interitu eternas ». Et Christus in evangelio Mathei ait: « Et ibunt hii
in suplicium eternum ». Et in evangelio beati Marci idem ait: « Qui autem

---

31-32 *post* dabunt *add. et del.* in eternum   33 suplicium : *ms* suplium.

---

1 Ioan. 14, 30   2 Ioan. 12, 31   3 Ioan. 16, 11   5 Act. 4, 25–27   16 Matth.
25, 41   18–22 Iud. 6–7   23 Iob. 10, 22   24 Ezech. 35, 9   25 Ezech. 35, 3–5
30 Cf. Matth. 13 : 25, 39   31 II Thes. 1, 9   32 Matth. 25, 46   33 Marc. 3, 29

in spiritum sanctum blasphemaverit non habebit remissionem in eternum, sed reus erit eterni delicti ».

fol. 25v De eternitate autem diaboli Abacuch propheta mentionem faciens ait: « Deus ab austro veniet et sanctus de monte Pharan; operuit celos gloria eius et laudis eius plena est terra. Splendor eius ut lux erit, cornua in ma- 5 nibus eius; ibi abscondita est fortitudo eius. Ante faciem eius ibit mors; egredietur diabolus ante pedes eius. Et stetit, et mensus est terram; aspecxerit et disolvit gentes; contriti sunt montes seculi, incurvati sunt colles mundi ab itineribus eternitatis eius ».

De antiquitate autem cuius in Apocalipsi scriptum est: « Et proiectus est 10 draco ille magnus, serpens antiquus, qui vocatur diabolus et sathanas ». Unde, si propter eternitatem et sempiternitatem et antiquitatem plene intelligendum est essentias rerum non habere inicium neque finen, sicut in bono deo illud habere locum forsan alicui videretur, palam ergo superius ostensum est peccatum et penas et solicitudines et errorem et ignem et suplicium et 15 vincula et diabolum non habere inicium neque finem, sive hec sint nomina summi principii mali sive effectuum illius, qui testes sunt unius male cause eterne sive sempiterne vel antique, quia si effectus fuerit eternus sive sempiternus sequitur necessario et eius causa. Est enim sine dubio principium malum a quo hec eternitas sive sempiternitas et antiquitas proprie et prin- 20 cipaliter derivantur.

Quod sit alius creator sive factor.

Quod alius deus sit et dominus qui creator et factor est preter eum fidelem cui commendant suas animas hii qui paciuntur in benefactis, plane intendo ostendere per scripturas. Et precipue secundum fidem quam nostri adversarii 25 in veteribus scripturis habent. Dicunt enim aperte illum dominum esse creatorem et factorem qui creavit et fecit visibilia istius mundi, scilicet celum et terram, mare, homines et iumenta, volucres et omnia reptilia sicut in Genesi legitur: « In principio creavit deus celum et terram; terra autem erat inanis et vacua ». Et iterum: « Et creavit deus cete grandia et omnem animam 30 viventem atque motabilem et omne volatile secundum genus suum ». Et iterum: « Et fecit deus bestias terre iuxta species suas, iumenta et omne reptile *fol. 26r* in genere suo ». Et iterum: « Et creavit deus hominem ad imaginem suam,

---

1 habebit *scripsi*: *ms* habet   6 *post* mors *add. et del.* Et   7 aspecxerit *cor. ms*
10 cuius *pro* huius (?)   22 *post* factor *add. et del.* quod ape   32 iuxta: *ms* iusta

---

4-9 Habac. 3, 3-6   10 Apoc. 12, 9   29 Gen. 1, 1-2   30 Gen. 1, 21
32 Gen. 1, 25   33 Gen. 1, 27

ad ymaginem dei creavit illum, masculum et feminam fecit eos». Et Christus in evangelio beati Marci ait: «Ab inicio autem creature, masculum et feminam fecit eos Deus».

Considerandum est enim quod temporaliter et visibiliter in hoc mundo 5 malum deum nullus homo hostendere potest nec etiam bonum, sed ex effectibus cognoscitur causa. Quare sciendum est quod deum malum esse vel creatorem aliter ostendere nemo potest nisi ex operibus eius malis et ex instabilibus verbis suis. Sed dico creatorem illum non esse verum qui creavit et fecit visibilia istius mundi. Quod probare volo ex operibus eius malis et 10 ex instabilibus verbis suis, si verum est quod opera et verba que continentur in veteribus scripturis per eum temporaliter in hoc mundo visibiliter et carnaliter sunt facta, sicut nostri adversarii apertissime hoc affirmant.

Hec enim opera mirabiliter detestamur, scilicet adulterium perpetrare, alienum rapere, homicidium facere, sanctum maledicere, mendatio concordari, 15 cum iuramento sua verba proferre et sine iuramento et illa unquam minime adimplere. Hec igitur omnia opera supradicta nefanda a supra dicto deo vel creatore temporaliter in mundo hoc visibiliter et carnaliter sunt facta, secundum intemptionem illam quam nostri adversarii in veteribus scripturis habent; qui credunt quod ille scripture loquantur de creatione et factura et 20 operibus istius mundi, que visibiliter et temporaliter videntur in hoc mundo. Et sic etiam coguntur necessario confiteri qui credunt unum solum esse principale principium. Et hoc per scripturas illas secundum adversariorum fidem intendo ostendere evidenter.

Quod malus deus perpetravit fornicationem.

25 Sic enim precepit ille dominus et creator in Deuteronomium: «Si dormierit vir cum uxore alterius, utrique moriantur, idest adulter et adultera, et auferes malum ex Israel». Et iterum: «Non accipiet homo uxorem patris, nec revellabit operimentum». Et in Levitico ipse dominus ait: «Turpitudinem uxoris patris tui non discoperies, turpitudo enim patris tui est». Et iterum: *fol. 26v* 30 «Qui dormierit cum noverca sua et revellaverit ignominiam patris sui, morte moriantur ambo».

Contra autem preceptum supradictum ille dominus et creator hoc adulterium temporaliter in hoc mundo visibiliter et carnaliter fecit facere evidenter, secundum fidem et intentionem adversariorum nostrorum, sicut in 35 secundo libro Regum, secundum fidem eorum, apertissime invenitur. Ait

---

1 *post* eos *add. et del.* deus   30 noverca *scripsi*: *ms* caverca

---

2 Marc. 10, 6   25 Deut. 22, 22   27 Deut. 22, 30   28 Lev. 18, 8
30 Lev. 20, 11

enim ipse dominus et creator ad David per prophetan Nathan: « Quare ergo
contempsisti verbum domini, ut faceres malum in conspectu meo ? Uriam
Etheum percusisti gladio, et uxorem illius accepisti tibi [in] uxorem; in-
terfecisti eum gladio filiorum Amon. Quamobrem non recedet gladius de
domo tua usque in sempiternum, eo quod despexeris me et tulleris uxorem   5
Urie Ethei ut esset tua uxor. Itaque hec dicit dominus: Ecce ego suscitabo
super te malum de domo tua; et tollam uxores tuas in occulis tuis, et dabo
proximo tuo, et dormiet cum uxoribus tuis in oculis huius solis; tu enim fecisti abscondite, ego faciam verbum istud in conspectu omnis Israel ». Unde,
secundum adversariorum fidem, iste dominus et creator vel fuit mendax vel   10
hoc adulterium sine dubio temporaliter perpetravit, sicut in secundo libro
Regum secundum intentionem eorum palam invenitur esse factum. « Et ait
Architofel ad Absalon: Ingredere ad concubinas patris tui, quas dimisit ad
custodiendam domum, ut cum audierit omnis Israel quod fedaveris patrem
tuum, roborentur manus eorum tecum. Tetenderunt igitur tabernaculum Ab-   15
salon in solario, ingressusque ad concubinas patris sui coram universo
Israel ». Et sic iste dominus et creator adimplevit illud opus adulterii quod
dixerat temporaliter et visibiliter in hoc mundo, secundum intentionem adversariorum, et etiam contra preceptum quod dederat, sicut superius ostensum est: « Si dormierit vir cum uxore alterius » et cetera.   20
    Nullus ergo sapiens presummat quod ille fuisset creator verus qui tempo-
raliter daret uxores unius viri illius filio, vel alicui alio viro ad fornicationem
faciendam, sicut creditur fecisse creatorem illum qui creavit visibilia istius
fol. 27r mundi, sicut manifeste superius ostensum est secundum ignavorum fidem.
Quare sciendum est quod dominus deus noster creator verus nunquam in   25
hoc mundo adulterium nec fornicationem temporaliter facere ordinavit. Ait
enim Apostolus ad Corinthios prima: « Nolite errare, quia neque fornicarii
neque adulteri » « regnum dei possidebunt ». Et ad Ephesios idem ait: « Hoc
enim scitote intelligentes, quod omnis fornicator aut inmundus non habet
hereditatem in regno Christi et dei ». Et ad Tesalonicenses ipse ait: « Hec   30
est enim voluntas dei, sanctificatio vestra: ut abstineatis vos a fornicatione ».
Non tullit ergo verus creator noster, temporaliter in hoc mundo, uxores
David, nec dedit eas proximo suo ad adulterandum cum eis in conspectu omnis Israel et in conspectu solis sicut ostensum est superius. Est enim sine

---

    2-3 *ms* Uriam et theum   3 uxorem *ex* uxor *cor. ms*   3 in *supplevi*   6 Ethei
scripsi: *ms* chetei   11 adulterium *ex* adulterum *cor. ms*   15 eorum *add. marg.*
15 *ms* tetenderant   16 universo *ex* universus *cor. ms*   21 ille *sup. lin.*

    1-9 II Reg. 12, 9-12   12 II Reg. 16, 21-22   20 Deut. 22, 22   27 I Cor.
6: 9, 10   28 Ephes. 5, 5   30 I Thes. 4, 3

dubio creator malus qui caput et causa est omnis fornicationis et adulterii istius mundi sicut superius monstratum est et infra apparebit deo dante.

Quod malus deus per vim fecisset rapere aliena et homicidium facere.

Quod autem supradictus dominus et creator per vim fecisset rapere aliena
5 et causa comoditatis thesauros Egypciorum temporaliter tollere et etiam homicidium maximum carnaliter perpetrare per veteras scripturas secundum adversariorum fidem ostendere possumus evidenter. Ait enim ipse dominus ad Moysen in Exodo: « Dices ergo omni plebi ut postulet vir ab amico suo et mulier a vicina sua vasa argentea et aurea, dabit autem dominus gratiam
10 populo coram Egyptiis ». Et iterum: « Feceruntque filii Israel sicut preceperat eis Moyses, et pecierunt ab Egyptiis vasa argentea et aurea, vestemque plurimam. Dedit autem Dominus gratiam populo coram Egyptiis ut comodarent eis; et spoliaverunt Egyptios ». Et in Deuteronomium Moyses ad populum ait: « Si quando accesseris ad expugnandam civitatem, offeres ei primum
15 pacem; si receperit et aperuerit tibi portas, cunctus populus qui in ea est salvabitur et serviet tibi sub tributo. Sin autem fedus inire noluerint et ceperint contra te bellum, obpugnabis eam; cumque tradiderit dominus deus tuus illam in manu tua, percuties omne quod in ea generis masculini est, in ore gladii, absque mulieribus et infantibus; iumenta et cetera que in civitate sunt,
20 omnem predam, exercitui divides, et comedes de spoliis hostium tuorum, *fol. 27v* que dominus deus tuus dederit tibi. Sic facies cunctis civitatibus, que a te procul sunt valde et non sunt de his urbibus quas in possesionem accepturus es. De hiis autem civitatibus que dabuntur tibi nullum omnino permittes vivere; sed interficies in ore gladii, Etheum videlicet, Amoreum et
25 Cananeum, Pherezeum et Iebuseum et Eveum sicut precepit tibi dominus deus tuus ». Et iterum in eodem: « Egressus est Seon obviam nobis cum omni populo suo ad prelium in Iessa, et tradidit eum dominus deus noster nobis; percussimusque eum cum filiis suis et omni populo suo. Cunctasque urbes in tempore illo cepimus, interfectis habitatoribus earum, viris ac mulie-
30 ribus et parvulis; non relinquimus in eis quicquam ». Et iterum: « Tradidit ergo dominus deus noster in manibus nostris etiam Og, regem Basan, et universum populum eius; percussimusque eos usque ad internecionem, vastantes cunctas civitates illius uno tempore. Non fuit opidum quod nobis effugeret;

---

2 mostratum *ms*   12 comodarent *ex* comederent *cor. ms*   15 aperuerit *ex* peruerit *cor. ms*   19 absque: *ms* atque   19 in *sup. lin.*   27 Iessa: *V* Jasa
32 internecionem *scripsi: ms* internitionem

---

8 Exod. 11, 2   10-13 Exod. 12, 35-36   14-26 Deut. 20, 10-17   26-30 Deut. 2, 32-34   30 ss. Deut. 3: 3-4, 6-7

sexaginta urbes, omnem regionem Argob regni Og, in Basan » et cetera,
« et delevimus eos sicut fecimus Seon, regi Esebon, disperdentem omnem
civitatem, viros ac mulieres et parvulos; iumenta autem et spolia urbium
diripuimus ».

Et de homine coligente ligna in die sabati in libro Numeri scriptum est: 5
« Factum autem cum essent filii Israel in solitudine et invenissent hominem
coligentem ligna in die sabati, obtulerunt eum Moysi et Aaron et universe
multitudini, qui recluserunt eum in carcerem, nescientes quid super eo facere
deberent. Dixitque dominus ad Moysen: morte moriatur homo iste, obruat
eum lapidibus omnis turba extra castra ». Et ipse dominus in Exodo ait ad   10
populum Israeliticum: « Numerum dierum tuorum implebo. Terrorem meum
mittam in precursum tuum, et occidam omnem populum ad quem ingredieris,
cunctorumque inimicorum tuorum terga vertam ». Et in Levitico idem dominus ait: « Persequimini inimicos vestros, et corruent coram vobis; perse-
quentur quinque de vestris centum alienos, et centum ex vobis decem milia;   15
fol. 28r cadent inimici vestri in conspectu vestro gladio ». Et in libro Numeri idem
ait: « Sin autem nolueritis interficere habitatores terre, qui remanserint,
erunt quasi clavi in occulis et lancee in lateribus et adversabuntur vobis in
terra habitationis vestre; et quicquid facere illis cogitaveram, vobis faciam ».

De creatore malo.   20

Et sic apud sapientes satis manifestum est illum creatorem non esse
verum, qui temporaliter tot viros ac mulieres cum suis parvulis universis
sine misericordia fecisset destruere evidenter. Quamvis de parvulis hoc
mirabile videatur — cum non haberent scientiam bonum a malo integre
discernendi, nec liberum arbitrium secundum adversariorum fidem — quo-   25
modo creator verus suos parvulos temporaliter sine misericordia morte pessima destrucxisset ? Et maxime cum per Ezechielem dixisset dominus : « Filius
non portabit iniquitatem patris, sed anima que peccaverit ipsa morietur ».
Non docuit ergo Ihesus Christus, filius fidelis creatoris nostri, suos subdictos
temporaliter in hoc mundo suos destruere penitus inimicos, sed illis bene-   30
facere pocius imperavit. Sicut ipse in evangelio beati Mathei ait: « Audistis
quia dictum est antiquis: diliges proximum tuum, et odio habebis inimicum
tuum. Ego autem dico vobis: diligite inimicos vestros ». Non dixit temporaliter « persequimini inimicos vestros » sicut fecit pater vester antiquitus,
sed dixit « diligite inimicos vestros et benefacite hiis qui vos oderunt;   35

---

14 persequimini *sic ms, ut infra lin. 34*   29 subdictos *cor. ms ex* dictos

---

6-10 Num. 15, 32-35   11 Exod. 23, 26-27   14-16 Lev. 26, 7-8   17-19 Num.
33, 55-56   27 Ezech. 18, 20   31 Matth. 5, 43-44   34 Cf. Lev. 26, 7
53 Matth. 5, 44-45

orate pro persequentibus et calompniantibus vos, ut sitis filii patris vestri, qui in celis est », quasi dicat: ut sitis in amore patris vestri qui in celis est, cuius est hoc opus misericordie. Unde ipse dei filius Ihesus Christus hoc opus misericordie a patre suo didicit facere in presenti, sicut ipse in evangelio
5 Iohannis de se ait: « Non potest filius a se facere quicquam, nisi quod viderit patrem suum facientem; quecumque enim ille fecerit, hoc et filius similiter facit ». Non fecit ergo pater Ihesu Christi temporaliter in hoc mundo tot viros ac mulieres destruere evidenter cum suis parvulis universis; et maxime cum ipse deus sit « pater misericordiarum et deus totius consolationis » ut
10 ad Corinthios notat Apostolus.

Quod malus deus maledixisset Christum.

Non solum autem supradictus dominus et creator homicidium supradictum temporaliter secundum adversariorum fidem fieri imperavit, sed domi- *fol. 28v* num nostrum Ihesum Christum maledixit, sicut in Deuteronomium scriptum
15 est: « Quando peccaverit homo qui morte plectendus est, et iudicatus morti apensus fuerit in patibulo, non permanebit cadaver eius in ligno, sed in eadem die sepellietur, quia maledictus a deo est qui pendet in ligno ». Et Apostolus ad Galathas ait: « Christus nos redemit de maledicto legis, factus pro nobis maledictus, quia scriptum est: Maledictus omnis qui pendet in ligno ».
20 Unde apud sapientes minime est credendum quod piissimus pater simpliciter sine ullo respectu hostis sui maledixisset suum filium Ihesum Christum vel etiam seipsum si verum est quod pater et filius et spiritus sanctus sint unum et idem, ut aiunt imperiti. Est enim sine dubio creator malus, qui capud et causa est maledictionis Ihesu Christi et etiam omnis mali.

25 *De illo deo concordari mendatio.*

Invenitur enim idem dominus et creator secundum adversarios mendatio concordari, mittens spiritum pessimum et spiritum mendatii; et etiam spiritus malus et spiritus nequam nominatur spiritus illius dei, sicut in primo libro Regum scriptum est: « Spiritus autem domini recessit a Saul, et exagitabat
30 eum spiritus nequam a domino ». Et iterum in eodem: « Igitur quandocumque spiritus dei malus aripiebat Saul, tollebatque David citharam, et percuciebat manu sua, et refocillabatur et levius habebat; recedebat autem ab eo

---

10 ad *sup. lin.* 32 refocillabatur *scripsi : ms* reficiliabatur *cor. ex* reficiabatur

---

5 Ioan. 5, 19   9 II Cor. 1, 3   15-17 Deut. 21, 22-23   18 Gal. 3, 13
29 I Reg. 16, 14   30 I Reg. 16, 23

9

spiritus malus». Et in libro Iudicum scriptum est: « Regnavit itaque Abimelec super Israel tribus annis; missitque dominus deus spiritum pessimum
inter Abimelec et habitatores Sichem». Sed dominus deus noster missit spiritum veritatis, ut Christus in evangelio declaravit.

Et in quarto libro Regum Micheas propheta ait: « Vidi dominum seden-   5
tem super solium suum, et omnem exercitum celi assistentem ei a dexstris et
a sinistris; et ait dominus: Quis decipiet Achab regem Israel, ut ascendat et
cadat in Ramoth Galaad ? Et dixit unus verba huiuscemodi, et alius alter.
Egressus est spiritus et stetit coram domino, et ait: Ego decipiam illum. Cui
locutus est dominus: In quo ? Et ille ait: Egrediar, et ero spiritus mendax   10
in ore omnium prophetarum eius. Et dixit Dominus: Decipies, et prevalebis;
egredere, et fac ita. Nunc igitur ecce dedit dominus spiritum mendacii in ore
fol. 29r omnium tuorum prophetarum qui hic sunt et dominus locutus est contra
te malum». Et iterum sic videtur manifeste secundum adversarios quod ille
dominus et creator misit spiritum pessimum et spiritum mendacii; quod sim-   15
pliciter non faceret verus deus ullo modo.

Quod malus deus non fecit quod promiserat.

Promissit autem ipse dominus et creator Habrae, et semini eius aiuravit,
ut daret ei et semini eius post ipsum omnem terram quam conspiciebat
Habraam ad aquilonem et ad meridiem, ad orientem et ad occidentem, sicut   20
in Genesi legitur: « Dixitque dominus ad Habraam postquam divisus est Loth
ab eo: Leva occulos tuos et vide in loco, in quo es nunc, ad aquilonem et ad
meridiem, ad orientem et occidentem; omnem terram quam conspicis tibi
dabo et semini tuo usque in senpiternum ». Et iterum: « Surge, ambula terram in longitudine et in latitudine sua, quia tibi sum daturus eam ». Et in   25
Deuteronomium scriptum est: « Ingredimini et possidete terram supra quam
iuravit dominus deus patribus nostris, Habraam Ysaac et Iacob, ut daret
illam eis et semini eorum post eos».

Sed quamvis promissionem supradictam cum iuramento fecisset ipse
dominus Habrae, tamen creditur quod temporaliter illam unquam minime   30
implevisset. Sicut beatus Stephanus in Actibus apostolorum ait: « Dixit enim
ille dominus Habrae: Exi de terra tua et de cognatione tua et veni in terram
quam tibi monstravero. Et tunc exivit de terra Caldeorum et habitavit in

---

1 *post* Abimelec *ms add. et del.* et habitatores   14 adversarios *ex* adversariorum *cor. ms*   21 legitur: *ms* legi   25 in² *sup. lin.*   33 *ms* mostravero

---

1 Iudic. 9, 22-23   4 Cf. Ioan. 14, 17; 15, 26   5-14 IV Reg. *revera* III Reg.
22, 19-23   21 Gen. 13, 14-15   24 Gen. 13, 17   26 Deut. 1, 8   31 ss.
Act. 7, 3-5

Carran; et inde, postquam mortuus est pater eius, transtulit illum deus in terram in qua nunc vos habitatis; et non dedit illi hereditatem in ea, nec pas-
sum pedis, sed repromissit dare illi eam in possessionem, et semini eius
post ipsum». Et sic videtur manifeste quod ille dominus et creator promis-
5 sionem factam cum iuramento minime adimplevit, nec etiam secundum
adversarios unquam in hoc mundo temporaliter et visibiliter adimplevit, nec
etiam invenitur quod Habraam terram illam in aliquo tempore temporaliter
possedisset, quicquid balbuciant imperiti.

Quod iste deus temporaliter visus fuit.

10 Videtur etiam secundum fidem ignavorum quod supradictus dominus et
creator visibiliter in hoc mundo facie ad faciem a pluribus videbatur. Sicut
in Genesi legitur: « Vocavitque Iacob nomen loci illius Phanuel, dicens: Vidi
dominum facie ad faciem». Et in Exodo scriptum est: « Ascenderunt Moy- *fol. 29 v*
ses et Aaron, Nadab et Abiu, et septuaginta de senioribus Israel; et viderunt
15 deum Israel». Et iterum: « Loquebatur autem dominus ad Moysen facie ad
faciem, sicut loqui solet homo ad amicum suum». Et in libro Numeri ipse
dominus ait: « At non talis ut servus meus Moysès, qui in omni domo mea
fidelissimus est; ore enim ad os loquor ei, et palam videt dominum, non
per figuras et enigmata». Sed verus creator noster cum occulis corporeis
20 istius mundi unquam a nemine videbatur, sicut beatus Iohannes in evangelio
ait: « Deum nemo vidit unquam; unigenitus filius, qui est in sinu patris, ipse
enarravit». Et Apostolus in secunda ad Thimotheum ait: « Regi autem seculorum immortali invisibili soli deo honor et gloria». Et ad Coloscenses
idem de Christo ait: « Qui est ymago dei invisibilis».

25 Legant igitur sapientes et sine dubitatione credant deum malum esse et
dominum atque creatorem, qui caput et causa est omnium supradictorum
malorum; alioquin oporteret necessario confiteri quod ipse deus verus, qui
lux est et bonus et sanctus et fons vivus et caput omnis dulcedinis et suavi-
tatis et iusticie, esset prorsus causa et principium omnis iniquitatis et malicie
30 et amaritudinis et iniusticie, et omnia adversa atque contraria ab ipso domino
penitus emanerent. Quod apud sapientes vanissimum est opinari.

---

12 Gen. 32, 30.   13 Exod. 24, 9-10   15 Exod. 33, 11   17 Num. 12, 7-8
21 Ioan. 1, 18   22 II Tim. *revera* I Tim. 1, 17   24 Col. 1, 15

[Contra Garatenses]

Oppositio contra Garatenses.

Oppositionem aliam contra Garatenses scribere cogitavi, qui contra nos sepissime gloriantur dicentes: Vos Albanenses unum malum deum esse creatorem celi et terre et aliorum omnium que videntur per testimonia divinarum 5 scripturarum ostendere non potestis, sicut coram hominibus eum esse cotidie predicatis. Ad quos ducxi breviter respondendum. [...] Sed cum inter Saracinos et baptizatos et Iudeos et Tartaros et inter alios de hoc mundo religiosos cotidie magna repugnancia cognoscatur — quamvis omnes unum solum *fol. 30v* principium sanctum et bonum et misericors esse credant, tamen frequentissime 10 inter se invicem inveniuntur cum suis duris verbis et actibus crudelissimis impugnare — quamvis in creatione omnes fratres sine dubio esse credant: illorum opinionem vanissimam satis clarissime coram sapientibus superius reprobavi.

De propalatione insipientium. 15

Nunc autem insipientiam Garatensium coram intelligentibus desidero propalare, qui, quamvis sicut alii unum solum creatorem piissimum esse credant, tamen esse alium dominum malum principem huius mundi consueverunt sepissime predicare, qui creatura fuit ·bonissimi creatoris, qui, ut dicunt, domini dei veri corrupit quatuor ellementa, ex quibus ipse malus 20 dominus masculum et feminam formavit in principio atque fecit, et omnia alia visibilia corpora huius mundi, de quibus orta sunt alia corpora universa que hodie regnant in orbem.

Sed cum illorum sentencia coram sapientibus vanissima videatur, quero ab eis quatenus hanc suam intentionem per divinarum testimonia scriptu- 25 rarum debeant confirmare, declarando ubi invenitur hoc quod credunt et

---

1 *addidi*   7 ducxi breviter *cor. ms ex* breviter responsionem ducxi. *Conicio nonnulla excidisse ante* Sed

coram hominibus predicant evidenter, in quo libro vel in qua ratione aut
in qua parte biblie, scilicet quod malus deus vel dominus domini dei boni
corrumpisset quatuor ellementa, et quod malus dominus fecisset in principio masculum et feminam et alia corpora universa volucrum et pissium, rep-
5 tilium et iumentorum de hoc mundo, sicut coram hominibus predicant et
affirmant?

Sed dicerent forsan: bene probare possumus quod malus deus fecit
masculum et feminam et alia in principio corpora universa, ex quibus omnia
corpora carnalia facta sunt. Sicut ille malus dominus ad masculum et femi-
10 nam, ad volucres et iumenta et ad alia carnalia corpora universa ait: « Crescite, et multiplicamini, et replete terram »; qui ait piscibus: « Crescite, et
multiplicamini, et replete aquas maris », sicut in Genesi palam invenitur; in
quo libro etiam invenitur quod ille deus dixit, quem credimus esse malum:
« Faciamus hominem ad ymaginem et similitudinem nostram ». Et iterum: *fol. 30v*
15 « Et fecit deus bestias terre iuxta species suas, et iumenta et omne reptile in
genere suo ». Et iterum : « Et edifficavit dominus deus costam, quam tulle-
rat de Adam, in mulierem ». Qui iterum ait: « Propter hoc relinquet homo
patrem et matrem et adherebit uxori sue; et erunt duo in carne una ». Et
Christus in evangelio beati Marci ait: « Ab initio autem creature, masculum
20 et feminam fecit eos deus », et dixit: « Propter hoc relinquet homo patrem
et matrem et adherebit uxori sue, et erunt duo in carne una; itaque iam
non sunt duo, sed una caro » et cetera. Et sic forsan per supradicta testimonia et alia consimilia affirmarent quod malus deus in principio fecit visibilia
corpora huius mundi.

25 Solutionem illorum recipio sicut possum, si supradicta testimonia verissima esse credunt. Sed respondeant michi si credunt et recipere volunt
testimonia supradicta et alia verba que dicta sunt in libro Genesis vel non?
Si dicunt non, quia malus deus est ille et illius verba minime sunt credenda;
ad hoc respondeo: Ergo nullam induxistis probationem per testimonia scrip-
30 turarum ad confirmationem sentencie vestre, sicut cotidie predicatis. Qua
ergo ratione vel qua fronte potestis verba talia predicare, si de divinis scripturis ad confirmationem vestre sentencie nullam potestis redere rationem?

Sed dicerent forsan: Quamvis illum deum malum esse credamus, tamen
bene credimus illa testimonia que induximus esse vera, sicut in Genesi
35 scriptum est, scilicet quod ille malus deus fecit visibilia corpora huius mundi,

---

1 *post* qua *ms add. et del.* parte   2 biblie *scripsi*: *ms* bibie   3 corrumpisset *sic ms*
8 feminam: *ms* femina   14 *post* ad *add. et del.* in   22 sic *scripsi*: *ms* sicut

---

10 Gen. 1, 28   11 Gen. 1, 22   14 Gen. 1, 26   15 Gen. 1, 25   16 Gen.
2, 22   17 Gen. 2, 24   19-22 Marc. 10, 6-8

sicut superius ostensum est. Ad quos respondeo: Si per testimonia libri Genesis vultis vestram sentenciam confirmare, sicut cotidie predicatis, scilicet quod malus deus corrupit quatuor ellementa et fec[it] in principio masculum et feminam et carnalia corpora universa, quare ergo contra nos cotidie repugnatis dicentes, quod unum malum deum creatorem vobis ostendere 5 non possumus? Nonne palam per scripturas Genesis vobis probare possumus, cum qua vestram sententiam confirmatis, quod ille deus, quem creditis esse malum, creator est celi et terre et aliorum omnium que videntur sicut et factor? Sicut in Genesi legitur: « In principio creavit deus celum et terram; fol. 31r terra autem erat innanis et vacua ». Et iterum: « Et creavit deus cete gran- 10 dia, et omnem animam¯ viventem atque motabilem » et cetera, « et omne volatile secundum genus suum ». Et iterum: « Et creavit deus hominem ad ymaginem suam; ad ymaginem dei creavit illum, masculum et feminam creavit eos ». Et iterum: « Et benedixit diei septimo et sanctificavit illum, quia in ipso cesaverat ab omni opere suo quod creavit deus ut faceret ». Et 15 iterum: « At vero Melchisedech rex Salem proferens panem et vinum, erat enim sacerdos dei altissimi, et benedixit ei et ait: Benedictus Habraam deo excelso, qui creavit celum et terram; et benedictus deus excelsus, quo protegente, hostes in manibus tuis sunt ».

Et sic per testimonia Genesis secundum probationem quam fecimus per 20 Garatenses, palam probare possumus unum creatorem esse malum, qui creavit celum et terram et alia visibilia corpora universa, sicut de factore malo superius per testimonia Genesis ostensum est.

De omni creatione.

Sed diceret forsan aliquis indiscretus illorum: Nos bene credimus solo- 25 modo creatorem unum et factorem omnium, qui creavit et fecit visibilia et invisibilia universa, sicut in evangelio beati Iohannis scriptum [est]: « Omnia per ipsum facta sunt, et sine ipso factum est nichil ». Et Paulus in Actibus apostolorum ait: « Hoc ego anuncio vobis: Deus, qui fecit mundum et omnia que in eo sunt » et cetera. « Fecitque ex uno omne genus hominum habitare 30 super universam faciem terre ». Et in eisdem apostoli dixerunt: « Tu, domine, qui fecisti celum et terram, mare et omnia que'in eis sunt ». Et in Apocalipsi scriptum est: « Timete deum, et date illi honorem » « et adorate eum qui

---

2 *ms* confirmimare   6 possumus¹: *ms* possemus   11 omnem *scripsi: ms* omne   14 septimo *ex* sepmo *cor. ms*   18 benedictus *ex* benedixit *cor. ms* 18-19 *ms* protegentes   27 est *supplevi*   33 qui *ex* quem *cor. ms*

---

9 Gen. 1, 1-2   10 Gen. 1, 21   12 Gen. 1, 27   14 Gen. 2, 3   16 Gen. 14. 18-20   27 Ioan. 1, 3   29 Act. 17, 23-24   30 Act. 17, 26   31 Act. 4, 24 33 Apoc. 14, 7

fecit celum et terram, mare et omnia que in eis sunt, et fontes aquarum». Et
ad Hebreos Apostolus ait: «Qui autem omnia creavit, deus est». Et sic
forsan per ista testimonia et alia consimilia unum solum creatorem et factorem omnium affirmarent.

5 Contra hoc obicio in hunc modum: Si autem dominus deus verus fecit in
principio masculum et feminam, volucres et iumenta et alia visibilia corpora
universa, quare carnale opus coniunctionis maris et femine cotidie con-
dempnatis, illud esse opus diabolicum affirmantes? Cur non facitis filios et *fol. 31v*
filias domino deo vestro? Cur non comeditis carnem et ova et caseum vestri
10 bonissimi creatoris? Et quare manducantes ea penitus condenpnatis si creditis unum solum creatorem et factorem esse omnium que videntur? Non
est mirum si Romani autoritatem beati Pauli contra nos sepissime induxerunt,
qui ad Timotheum ait: «Spiritus autem manifeste dicit, quod in novissimis
temporibus quidam discedent a fide, attendentes spiritibus erroris et doc-
15 trinis demoniorum, in ypocrisi loquencium mendatium, et cauteriatam haben-
tium suam conscienciam, prohibencium nubere, abstinere a cibis, quos deus
creavit ad percipiendum cum gratiarum accione fidelibus, et his qui cogno-
verunt veritatem; quia omnis creatura dei bona est, et nichil est reiciendum».
Vos enim creaturam domini dei veri cotidie reprobatis eius matrimonium
20 condempnantes, si verum est quod piissimus et misericors deus creavit et
fecit masculum et feminam et visibilia corpora huius mundi.
Capti sunt ergo in suis sermonibus Garatenses.

De manifestatione fidelium.

Hoc cunctis Christi fidelibus patefiat, quod propter verba detractionis
25 cuiusdam Garatensis qui coram amicis nostris se plurimum exaltabat como-
tus fui scribere contra eum, sicut fuit dominus per sathan, qui in libro Iob
ait: «Tu autem comovisti me adversus eum» et cetera, quamvis hoc ante
facere non curassem. Sed possum dicere cum adiutorio Ihesu Christi sicut
propheta dixit: «Vertetur dolor eius in caput eius, et [in] verticem ipsius
30 iniquitas eius descendet». Nunc autem mitto tibi Alb... et tuis Garatensibus universis, si vultis sustinere et defendere fidem vestram, quam habetis et coram vestris credentibus sepissime predicatis, per scripturam biblie

---

16 abstinere: *ms* astinere   18 *ms* reitiendum   24 *post* quod *sequitur lacuna*
25 cuiusdam *ex* cuius *cor. ms*   28 facere *ex* facerem *cor. ms*   29 in *V*   30 Alb.:
forsan Abb: *sed. infra p. 136, 15* Al   32 biblie: *ms* bibie

---

2 Hebr. 3, 4   12 Romani Cf. e. g. Gregorius (de Florentia?), Disputatio inter
catholicum et paterinum haereticum, cp. 2 (ed. Martène et Durand, Thesaurus novus
anecdotorum, t. V, Parisiis 1717, col. 1707); Eckbertus, Sermones contra catharos,
PL 195, col. 14, 26   13 I Tim. 4, 1-4   27 Iob. 2, 3   29 Ps. 7, 17

universam, scilicet quod diabolus domini dei veri corrupisset quatuor ellementa, videlicet celum et terram, aquam et ignem, et quod fecisset in principio masculum et feminam, et alia visibilia corpora huius mundi, quod volo
sustinere et defendere fidem meam, quam habeo et coram Christi fidelibus
fol. 32r predico evidenter, per testimonia legis et prophetarum et novi testamenti,   5
que credo esse vera et dicere veritatem, scilicet quod unus malus deus est,
qui « creavit celum et terram, cete grandia et omnem animam viventem atque
motabilem, et omne volatile secundum genus suum, et masculum et feminam;
qui formavit hominem de limo terre et spiravit in eum spiraculum vite »,
sicut palam in libro Genesis per ipsum deum legi esse factum. Si hoc facere   10
vultis, ordinate ubi vultis esse congrue et decenter, scientes quod paratus
sum cum adiutorio veri patris meam sententiam sustinere, sicut superius
declaravi.

De notificatione.

Iterum tibi Al... cupio esse notum quod a Petro de Ferariis intellexi quod   15
dixisti ei, quod probare non potes per scripturam novi testamenti hanc fidem,
scilicet quod diabolus corrupisset domini dei veri quatuor ellementa et quod
fecisset masculum et feminam vel circa talia verba. Quare sic dico tibi et
tuis Garatensibus universis si hanc confessionem facere vultis coram nostris
fidelibus et amicis, videlicet quod non potestis probare hanc vestram fidem   20
esse veram per scripturam quam credatis esse bonam et dicere veritatem, si
hoc vultis confiteri, sicut dictum est, sciatis quod volo sustinere fidem meam
et probare per sacras scripturas et per scripturam quam credo dicere veritatem, scilicet quod ille deus quem credo esse malum creavit celum et terram
et alia que superius dicta sunt. Et sic hoc non vultis confiteri, defendite fidem   25
vestram quam sepissime predicatis per scripturam quam credatis esse veram
et dicere veritatem, sicut ego volo facere meam fidem. Si igitur hoc facere
non curatis bene est mirabile magnum si vultis quod homines credant fidem
vestram, scilicet quod diabolus corrumpit quatuor ellementa domini dei
veri, ex quibus fecit in principio visibilia corpora huius mundi, si per scrip-   30
turam quam credatis esse veram et dicere veritatem probationem firmam
inducere non potestis et vultis meam fidem piissimam reprobare, quam volo
per testimonia legis et prophetarum et novi testamenti fortiter confirmare.
   Taceat ergo adversarius veritatis et unquam verba supradicta dicere
non sit ausus.   35

---

3 *ms* visibili   14 notificatione (?) *coni.: ms* noctitione

---

7-9 Cf. Gen. 1 : 1, 21, 27; 2, 7   15 Petrus de Ferariis : *non inveni*

[*Alia argumentatio contra Garatenses*].

Sequens argumentatio contra Garatenses hec est, quod predicant cot- *fol. 32v*
tidie et affirmant quod diabolus in principio domini dei veri corrupit quatuor
ellementa, videlicet celum et terram, aquam et ignem. Si hoc verum est quod
5 credunt et sepissime coram suis credentibus predicant et affirmant, contra
eos sic obicio. Sed respondeant Garatenses, si hec corruptio sanctorum ellementorum domini dei veri, que per diabolum fuit facta, bona fuit et sancta
vel si fuit mala et vanissima ? Si dixerint: bona fuit et sancta. Contra. Si hoc
verum est, male credunt et predicant, quia dicunt quod diabolus corrumpit
10 quatuor ellementa dei veri, quod non esset verum quia bona factura et
sancta non corrumpisset sancta ellementa domini dei veri. Et secundum hoc
oportet eos credere quod factura masculi et femine que per diabolum in
principio facta fuit, sicut credunt, ex qua visibilia corpora facta sunt, bona
fuit et sancta. Et hoc valde esset contra illorum fidem, quia predicant
15 penitus et affirmant quod opera coniunctionis maris et femine mala sunt et
non secundum deum. Quare ergo spernunt carnem et ova et caseum, que
facta sunt ex sanctissimis ellementis, si corruptio illa sive factura que per
diabolum facta fuit in principio bona fuit et sancta? Unde qui hoc diceret
mirabiliter esset redarguendus.
20 Et si dixerint: corruptio illa sive factura que per diabolum facta fuit in
sanctissimis ellementis domini dei veri, mala fuit et vanissima et contra
deum, sicut credunt sine dubio et affirmant. Contra. Sed respondeant Garatenses, si corrupcio sanctorum ellementorum que mala fuit et vana, que per
diabolum fuit facta, sicut concessum est superius, si per voluntatem sanctis-
25 simi patris facta fuit vel contra ipsius penitus voluntatem ? Si dixerint: corruptio sanctorum ellementorum facta fuit per domini voluntatem, quia non
credimus quod diabolus corrumpere potuisset sanctissima ellementa contra
domini voluntatem. Contra. Ergo sequitur quia deus habuit malam voluntatem quando voluit corruptionem malam et vanissimam fieri in suis sanc-
30 tissimis ellementis, sicut dictum est superius. Et si dixerint: voluntas dei
bona fuit et sancta, quando voluit corruptionem sanctorum suorum ellementorum, quia propter corruptionem illam sive facturam regnum instauratur, per *fol. 33r*
coniunctionem maris et femine; et sic necessario sequeretur quod coniunctio
maris et femine bona esset penitus atque sancta, si per illam de animabus
35 novis vult deus suum regnum penitus restaurare et non aliter. Unde si hoc
verum esset opus ex quo nove anime efficiuntur non esset penitus respuen-

---

1 *addidi* 2 ss *alia manu* 6 corruptio *ex* corrutio *cor. ms* 17 corruptio
ex corrutio *cor. ms* 32 *ms add. in margine sup. fol. 33r al. man. (rasura)...* sanctissimi creatoris, scilicet de animabus novis que antiquitus facte fuerunt et cottidie
modo efficiuntur

dum, sicut cottidie faciunt Garatenses. Si autem dixerint: bene credimus corruptionem illam sive facturam esse factam in sanctissimis ellementis contra domini voluntatem; et sic necessario sequeretur quod aliud sit principium mali, quod potest corrumpere quatuor ellementa sanctissimi creatoris contra ipsius penitus voluntatem. Quod non esset verum si unum tantum esset principium principale, nec etiam si diabolus fuisset creatura domini dei veri potuisset contra voluntatem ipsius eius sanctissima ellementa penitus violare. Sequitur ergo, quod duo sint principia rerum: unum scilicet boni, reliquum vero mali, quod caput est corruptionis sanctorum ellementorum et etiam omnis mali. Capti sunt ergo in suis vanissimis intentionibus Garatenses.

Sed adhuc forsan clamarent, dicentes: corruptio sanctorum ellementorum non fuit facta per domini voluntatem, nec contra ipsius voluntatem, sed propter concessionem et sufferentiam illius factam. Sed respondeant Garatenses, si sufferentia illa et consessio bona fuit et sancta, per quam corrupta sunt sanctissima ellementa, vel si fuit mala et vanissima ? Si dixerint: bona fuit et sancta sufferentia illa; et sic necessario sequeretur quod sancta ellementa minime sint corrupta, quia per bonam sufferentiam atque sanctam non corrumperentur sanctissima ellementa. Et etiam factura illa maris et femine que per diabolum facta fuit, ut credunt, esset bonissima atque sancta, quod valde esset contra Garatensium fidem. Si autem dixerint: mala fuit et vana, sicut est rei veritas; ergo deus fecit concessionem vanissimam atque malam, et sic deus esset causa illius mali, sicut Apostolus ad Romanos ait: « Non solum qui faciunt ea digni sunt morte, sed etiam qui conscentiunt facientibus ». Quod penitus impossibile est credere de domino deo vero. Sequitur adhuc autem necessario quod aliud sit principium mali, quod facit deum verum concedere et sufferre corruptionem malam et vanissimam in suis sanctissimis ellementis contra ipsius penitus voluntatem; quod per se simpliciter et directo nullo modo faceret verus deus.

Et sic modis omnibus supradictis capti sunt in suis sermonibus Garatenses.

fol. 33v

5

10

15

20

25

30

---

13 *ms* sufferentia   13 *ms* facta

---

22 Rom. 1, 32

[De arbitrio]

De ignorantia multorum.

Quoniam multi ignorantie tenebris involuti asserunt quod homines, tam qui salvantur quam qui nunquam salvabuntur, habuerunt potentiam salvandi et potuerunt salvari, illorum opinionem vanissimam cum verissima ratione destruere cogitavi. Sed respondeant imperiti: potest homo facere in aliquo tempore illud quod non fecit nec facit nec faciet unquam ? Si dixerint non, ergo est imposibile sine dubio, quia illud quod non potest fieri in omnibus temporibus est imposibile quin fiat unquam.

Deinde propono: Quidam homo est qui nunquam fecit bonum ut valeat salvari, nec facit nec faciet unquam. Ergo secundum supradictam sententiam fuit imposibile ipsum facere bonum ut valeat salvari in aliquo tempore; ergo nunquam fuit in eo potentia salvandi, nec habuit homo iste unquam liberum arbitrium ut valeat salvari, si nunquam potentia salvandi fuit in eo. Qua ergo ratione iudicabit eum deus, secundum sententiam ignavorum, si nunquam fuit in eo potentia salvandi nec faciendi bonum ut valeat salvari, sicut concessum est superius? Unde secundum hoc erit opinio illorum cassa qui dixerunt quod homines, tam qui salvantur quam qui nunquam salvabuntur, habuerunt potentiam salvandi et potuerunt salvari, sicut supra dictum est.

Si autem dixerint: bene potuit homo ille agere bonum si voluisset, quamvis nunquam fecisset bonum nec faciat nec faciet unquam, sed noluit. Et hec est sententia ignavorum. Sed eodem modo interrogo de voluntate sicut superius de potentia dictum est. Verbi gratia: Quidam homo est qui nunquam habuit bonam voluntatem faciendi bonum ut valeat salvari, nec habet nec habebit unquam. Sed respondeant michi si unquam homo ille potuit habere bonam voluntatem ut posset salvari. Si dixerint non: si

---

1 *addidi*   8 *ex* impossibile *cor. ms*   14 *ms* potentiam   16 *ms* potentiam
17 *post* erit *ms add. et del.*   causa   18 *ms* discerunt   20 bonum *add. marg.*

nunquam habuit, nec unquam habebit sicut superius de potentia dictum est et etiam sicut est rei veritas. [Si] ergo non potuit habere bonam voluntatem ut valeat salvari, sine dubio non habuit potentiam salvandi *fol. 34r* nec faciendi bonum ut valeat salvari, quia sine bona voluntate nullus posset salvari. Ergo nec potentia volendi nec faciendî bonum ut posset 5 salvari unquam fuit in eo.

Eodem modo interrogo de scientia. Quidam homo est [qui] nunquam habuit scientiam discernendi bonum a malo, verum a falso, ut valeat salvari, nec habet nec habebit unquam, et sine dubio multi inveniuntur in hoc mundo. Si dixerint non, sicut de potentia et voluntate dictum est, 10 ergo nunquam potuit homo ille habere scientiam discernendi bonum a malo ut valeat salvari. Ergo non potuit salvari, quia sine discretione nullus potest salvari; ergo non fuit in eo potentia salvandi, nec volendi nec sciendi bonum ut valeat salvari, sicut superius ostensum est. Et secundum hoc destructa erit opinio eorum qui dicunt quod deus iudicabit hominem 15 per arbitrium discernendi bonum a malo, et quod potentia salvandi erat in illis qui nunquam salvabuntur.

Quod si indiscrete responderint, dicentes: Bene potest homo facere illud quod non fecit nec facit nec faciet unquam, et habere illam voluntatem quam non habet nec habuit nec habebit unquam, et habere illam 20 scientiam quam non habuit nec habet nec habebit unquam. Ad hoc respondeo: Si hoc simpliciter verum est, bene possumus dicere quod homo potest facere de uno irco papam ecclesie Romane, et omnia impossibilia! et potest habere voluntatem ardendi semper in ignem et paciendi omnia mala et pessima detrimenta! et etiam potest habere illam perfectam scien- 25 tiam domini dei veri integre et perfecte sicut deus habet! Quod stultum est dicere et vanum opinari. Verum et si potest fieri et est in potentia simpliciter et directo illud quod non fuit nec est nec erit unquam, sine dubio hoc sequeretur scilicet quod angeli et omnes sancti possunt demones fieri et demones angeli gloriosi, et Christus potest esse diabolus 30 et diabolus Christus gloriosus et omnia [im]possibilia possunt esse et sunt in potentia. Quod falsissimum est dicere et vanissimum credere.

Ratio autem hec est: Homo potest facere quicquid fecit et facit et faciet in futuro, et hoc fuit vel est in potentia; et illud quod non fecit nec facit nec faciet unquam, non potest homo facere, nec fuit nec est in po- 35 *fol. 34v* tentia ullo modo, quia illud quod nunquam pervenit ad actum non possumus dicere recte quod sit in potentia ullo modo.

---

2 veritas *ex* veritatis *cor. ms*   2 Si *coni.*   7 qui *supplevi*   21 *post* quam *add. et del.* nunquam   31 impossibilia *coni,*

Secunda notula hec est. Dico enim quod in omnibus que fuerunt et
sunt et erunt, ista duo fuerunt necessaria antequam essent, scilicet necessitas essendi et imposibilitas non essendi, et precipue penes ipsum
qui omnia preterita presentia et ventura novit penitus ab eterno. Quia
5 si deus scit aliquid esse venturum antequam sit, est impossibile quod non sit
venturum, quia deus non posset scire ipsum esse venturum si posset esse
non venturum. Verbi gratia si aliquis scit Petrum hodie esse moriturum antequam moriatur est necesse ipsum esse moriturum hodie, quia est imposibile ipsum esse moriturum hodie et non moriturum hodie. Ergo antequam
10 obiret, precessit necessitas moriendi et impossibilitas non moriendi. Fuit
ergo necessarium Petrum mori hodie et fuit etiam imposibile ipsum non
mori hodie penitus illum qui sciebat Petrum mori hodie.
  Alia obiectio hec est. Deus fecit suos angelos bonos et sanctos, ut
multi credunt. Aut sciebat ipsos fieri demones antequam essent aut non ?
15 Si non sciebat, ergo est imperfectus, non omnino omnia sciens; quod est
impossibile apud sapientes. Sciebat ergo sine dubio ipsos fieri demones
antequam essent, quia factor primus est intelligens et perfecte sciens
illud quod venturum est secundum quod est possibile esse venturum sicut
probat Aristotiles in tertio Phisicorum, qui ait quod omnia presentia sunt
20 ad primum factorem. Ergo necessitas essendi et imposibilitas non essendi
demones precessit antequam essent. Fuit ergo imposibile prorsus ipsos
non fieri demones et precipue penes deum, apud quem omnia que fuerunt
et sunt et erunt presentia sunt, sicut superius dictum [est]. Qua ergo
ratione vel qua fronte dicere possunt imperiti, quod angeli supradicti po-
25 tuerunt boni et sancti cum suo domino toto tempore permanere, cum illud
fuisset semper impossibile apud deum, qui omnia noscit antequam fiant,
sicut Susana in libro Danielis ait: « Deus eterne, qui absconditorum es
cognitor, qui omnia nosti antequam fiant»? Et sic sequitur necessario *fol. 36r*
quod omnia ex necessitate fiunt apud primum factorem. Habent ergo esse
30 et possunt fieri que fiunt; et e converso que non fiunt non habent esse nec
possunt fieri ullo modo. Deficit ergo sententia illorum qui dixerunt quod
angeli potuerunt peccare et non peccare.

---

7 aliquis *ex* aliquid *cor. ms*   23 est *supplevi*   30 e *sup. lin.*

---

19 Aristoteles in tertio Phisicorum *loc. cit. non inveni. Revera, ut videtur, hoc est*
Avencebrol (Ibn Gebirol) Fons Vitae III 57 : « et per hoc revelabitur tibi quomodo
est scientia factoris primi excelsi et sancti ad omnia, et quomodo sunt omnia fixa
in eius scientiae » (ed. C. Baeumker, Beiträge z. Geschichte der Philosophie des
Mittelalters, Bd I H III, Münster 1895, p. 207)   27 Dan. 13, 42

De sententia.

Sententia vero supradicta secundum intentionem illorum qui unum solum principale principium esse credunt non posset, ut arbitror, ullo modo adaptari, qui novas animas vel spiritus credunt fieri in presenti, et quod dominus per liberum arbitrium vel per arbitrium debeat bonos et malos, magnos 5 et parvos penitus iudicare. Sed respondeant: Omnes gentes congregabuntur ante deum, sicut credunt? Si hoc verum est, ibi erit multitudo innumerabilis puerorum ex omnibus gentibus de quatuor annis et infra, et etiam admirabilis multitudo mutorum, surdorum et stultorum, qui omnes unquam penitentiam agere nequiverunt, nec potentiam nec scientiam faciendi bo- 10 num ullo modo a domino habuerunt. Qua ergo ratione vel quomodo dominus Ihesus illis dicere poterit: « Venite, benedicti patris mei, posidete regnum paratum vobis a constitutione mundi, quia esurivi et dedistis michi manducare » et cetera, cum illud ullo modo facere nequivissent, nec etiam fecissent, hoc penitus non esset verum? Sed dicerent forsan quidam, quod 15 perpetuo damnabuntur. Respondeo. Hoc per liberum arbitrium penitus reprobatur. Qua ergo ratione dicere illis dominus poterit: « Discedite a me maledicti in ignem eternum, quia esurivi et non dedistis michi manducare » et cetera? Possent enim se rationabiliter per liberum arbitrium excusare, dicentes: Hoc ullo modo facere non valuimus, quia nec potenciam 20 nec scientiam faciendi bonum nobis ullo modo tribuisti. Et sic liberum arbitrium secundum adversariorum sententiam penitus reprobatur.

Audi nequissimam sententiam. Credunt enim quidam quod pueri qui uno die nascuntur et in illo eodem moriuntur, anime quorum noviter facte sunt quod cruciabuntur in suplicio eterno in seculum et seculum seculi, et 25 *fol. 35v* quod nunquam inde exire poterunt. Bene est mirabile magnum quomodo ausi sunt predicare quod dominus Ihesus debeat omnes homines per liberum arbitrium iudicare, cum hoc penitus non sit verum, sicut superius ostensum est.

---

9 *ms* amirabilis   16 *ms* danabuntur   28 hoc *sup. lin.*

---

12 Matth. 25, 34-35   17 Matth. 25, 41-42

[De persecutionibus]

De persecutione pastoris.

« Scriptum est enim: percuciam pastorem et dispergentur oves gregis ».
Per pastorem intelligitur Christus; per oves gregis disperse discipuli intel-
5 liguntur. Non enim percussit dominus deus verus suum filium Ihesum
Christum simpliciter et directo per se, quia si per se proprie et principaliter hoc homicidium perpetrasset, nullus Pilatum nec Phariseos nec
Iudam deberet ullo modo inculpare, quia voluntatem dei penitus comple-
vissent, alioquin peccatum erat domini resistere voluntati. Unde ita sol-
10 vitur: deus percussit filium suum quando sustinuit mortem illius, quam adimplere non valebant nisi eam ipse bonus dominus concesisset. Et hoc est
quod Christus ad Pilatum ait: « Non haberes adversum me potestatem
ullam nisi esset tibi datum desuper ». Datum dixit et non datam, quasi
dicat: nisi hoc esset tibi concessum a deo nullam valeres contra me lesio-
15 nem infere. Erat enim principium malum per quod Pilatus et Pharisei
et Iudas et alii hoc homicidium perpetrabant. Sustinebat hoc scelus dominus deus verus non valens melius de potestate inimici suum populum li-
berare; qui per Ysayam ait: « Propter scelus populi mei percussi eum ».
Discipuli namque fuerunt dispersi, scilicet separati a Christo in aliqua
20 intentione non bona, per virtutem spirituum malignorum, sicut infra scriptum est: « Tunc omnes discipuli eius relicto eo fugerunt ».

---

1 *addidi*   10 quam: *ms* que   21 *post* fugerunt *sequuntur hae rubricae*: Noli
esse in conviviis peccatorum, neque in commesationibus eorum qui carnes ad vescendum conferunt (Prov. 23, 20). — Non omnium que a maioribus constituta sunt
racio reddi potest, alioquin multa ex his que dicta sunt subvertentur. (Digesta I
3, 20-21). — *Ad ea quae hic omittuntur videas quaeso praefationem p. 12-14.*

---

3 Matth. 26, 31 *ex* Zach. 13, 7   12 Ioan. 19, 11   18 Isa. 53, 8   21 Matth. 26, 56

fol. 44ᵛ De persecutione prophetarum et Christi et Apostolorum et aliorum qui
secuntur eos.

Cum testimonia divinarum scripturarum sepe legendo disscurerem, videbatur michi in ipsis multociens affirmare mala que olim prophete et
Christus et apostoli portaverunt benefaciendo pro salute animarum di-   5
mittendo, necnon etiam quomodo sequaces Christi in novissimis temporibus sustinere debent multa scandala et tribulationes et persecutiones et
passiones et dolores et etiam mortem per pseudochristos et pseudoprophetas
et per malos homines et seductores, et quomodo debent dimittere persequentibus et calumpniantibus sibi et orare pro ipsis benefaciendo illis, nec   10
etiam defendentes semetipsos, sicut modo videntur facere veri cristiani,
adimplentes scripturas sanctas ad suum bonum et honorem, sicut videntur
facere impii et peccatores ad suum malum ut impleant peccata sua semper
et mensuram patrum suorum.

Unde Paulus ad Timotheum in epistola secunda ait : « Hoc enim scitote, 15
quod in novissimis diebus instabunt tempora periculosa : et erunt homines
seipsos amantes, cupidi, elati, superbi, blasphemi, parentibus non obe-
dientes, ingrati, scelestes, sine affectione, sine pace, criminatores, inconti-
nentes, immittes, sine benignitate, proditores, protervi, tumidi, voluptatum
amatores magis quam dei; habentes quidem speciem pietatis, virtutem autem 20
eius abnegantes. Et hos devita ». Et Christus in evangelio Mathei ait:
« Surgent... (24, 24) electi ». Et ad Romanos Paulus ait: « Et sicut...
ol. 45ʳ (1, 28-31) misericordia ». Et beatus Petrus in epistola secunda ait: « Fuerunt... (2, 1-3) dormitat ». Et Paulus ad Thimotheum in secunda epistola
ait: « Mali... (3, 13) errorem alios mittentes ». Et in Actibus apostolorum 25
ipse Paulus ait: « Attendite... (20, 28-31) memoriam retinentes ».

De persecutione prophetarum.

De persecutione autem prophetarum et Christi et apostolorum multociens invenitur. Ait enim Paulus de persecutione prophetarum ad He-
fol. 45ᵛ breos: « Quid adhuc dicam ? Deficiet... (11, 32-40) nobis consumarentur ». 30
Et Christus in evangelio beati Mathei ait: « Sic... (5, 12b) vos ». Et in
Actibus apostolorum beatus Stefanus ait: « Dura cervice... (7. 51-53) cu-
stodistis ». Et in evangelio Mathei Christus ait: « Ve vobis, scribe... (23,
29-39) in nomine domini ». Et beatus Iacobus in epistola ait: « Exemplum... (5, 10-11) et miserator ».   35

---

1 apostolorum *scripsi* : *ms* apostoli   8 *ms* pseudochristi   20 speciem *V* :
ms spem   22 Surgent : *nunc omitto litteram bibliae*

15-21 II Tim. 3, 1-5

De passione et persecutione Christi. *fol. 46r*

De tribulatione autem et persecutione et passione et morte domini nostri Ihesu Christi facta post tribulationem prophetarum, sicut superius ostensum est, manifeste in sanctis scripturis reperitur.

5 Invenitur enim in evangelio beati Mathei, quando Christus parvulus
erat, dictum fuit Iosep per angelum: «Surge, et accipe... (2, 13-15) ad
Herodis obitum». Et in evangelio beati Luce de Christo scriptum est:
«Et erat Iosep et mater eius mirantes super... (2, 33-35) cogitationes».
Et in evangelio beati Mathei scriptum est: «Et ascendens... (20, 17-19)
10 resurget». Et iterum: «Scitis quod... (Matth. 26, 2) crucifigatur». Et
in evangelio Iohannis Christus ait: «Amen. Amen dico... (8, 58-59) de tem- *fol. 46v*
plo». Et iterum: «Collegerunt ergo pontifices... (Ioan. 11, 47-53) interficerent eum». Et iterum: «Non potest mundus... (Ioan. 7, 7) mala sunt».
Et iterum: «Hec mando vobis... (Ioan. 15, 17-21) eum qui misit». Et
15 beatus Iohannes in Apocalipsi ait: «Et draco stetit... (12, 4b) devoraret».
Et beatus Iacobus ait: «Epulati... (5, 5-6) resistit vobis». Et in Actibus
apostolorum beatus Petrus ait: «Viri Israelite,... (2, 22-24) ab eo». Et
iterum: «Certissime... (Act. 2, 36) crucifixistis». Et iterum: «Viri Israe- *fol. 47r*
lite, quid miramini... (Act. 3, 12-21) a seculo prophetarum». Et iterum:
20 «Apostoli unanimiter dixerunt: Domine... (Act. 4, 24-28) decreverunt
fieri». Et iterum: «Respondens autem Petrus... (Act. 5, 29-33) interficere
illos». Et iterum: «Verbum misit... (Act. 10, 36-43) credunt in eum». *fol. 47v*
Et iterum: «Viri fratres... (Act. 13, 26-30a) tertia die». Et beatus Petrus
in epistola prima ait: «Christo igitur passo... (4, 1-2) voluntate dei». Et
25 beatus Marcus in evangelio ait: «Et assumpsit Iesus Petrum... (14, 33-34)
ad mortem». Et iterum: «Facta est ora sexta... (Marc. 15, 33-34) me dereliquisti»? Et iterum: «Iesus... (Marc. 15, 37) expiravit». Et beatus
Matheus ait: «Tunc crucifixi... (27, 38) a sinistris». Et iterum: «Iesus
autem... (Matth. 27, 50) spiritum». Et beatus Lucas ait: «Et exclamans
30 voce magna... (23, 46) dicens, expiravit».

De tribulatione sanctorum.

De tribulatione autem et passione domini nostri Ihesu Christi satis
manifeste probatum est, sicut superius apertissime est ostensum. De tri- *fol. 48r*
bulatione autem et persecutione et morte apostolorum et eorum heredum
35 quas debebant sustinere tempore venturo modo dicendum est, et etiam
quomodo ipsi sustinuerunt in suo tempore benefaciendo et dimittendo,
sicut modo videntur facere veri christiani, qui modo dicuntur heretici,

---

1 *ante* de passione *add. et del.* de morte domini

sicut in tempore Pauli vocabantur. Sicut ipse in Actibus apostolorum ait: « Confiteor autem hoc tibi, quod secundum sectam quam dicunt heresim, sic deservio deo patri meo (Act. 24, 14) ». Et iterum: « Nam de secta... (Act. 28, 22) contradicitur ». Unde dominus noster Ihesus Christus ostendens persecutionem venturam discipulis suis ait in evangelio beati Mathei: « Beati qui persecutionem paciuntur... (5, 10-12) ante vos ». Et iterum: « Ecce ego mitto vos... (Matth. 10, 16-25) domesticos eius ».

fol. 48v Et in evangelio Christus ait: « Amen, amen dico vobis, quia plorabitis... (Ioan. 16, 20-22) nemo tollet a vobis ». Et in evangelio beati Mathei Christus ait: « Videte ne quis vos... (24, 4-13) salvus erit ». Et in Apocalipsi dictum est: « Ecce missurus est diabolus... (2, 10) coronam vite ». Et in evangelio Iohannis Christus ait discipulis suis: « Hec mando vobis... (15, 17-21) quia nesciunt eum qui misit me ».

Quomodo sancti passi sunt.

Satis ergo manifeste in sanctis scripturis probatum est sicut superius est hostensum quomodo dominus noster Ihesus Christus hostendit in suis verbis debere suos discipulos substinere tribulationes et persecutiones et *fol. 49* etiam mortem tempore venturo pro nomine eius. Sed modo declaratum est quomodo ipsi substinuerunt in suis temporibus mala multa et tribulationes et persecutiones et etiam mortem pro nomine domini nostri Ihesu Christi sicut ipse promiserat eis in sanctis scripturis. Ait enim ipse in evangelio Ihoannis: « Nunc autem ad te venio... (17, 13-16) non sum de mundo ». Et beatus Iohannes in epistola prima ait: « Nolite mirari, fratres... (3, 13-14) diligimus fratres ». Et beatus Petrus in epistola prima ait: « Karissimi, nolite... (4, 12-19) in benefactis ». Et Paulus in Actibus apostolorum de se ait: « Ego quidem estimaveram... (26, 9-11) exsteras civitates ». Et beatus Petrus in epistola prima ait: « Hec est enim gratia... *fol. 49v* (2, 19-25) animarum vestrarum ». Et in Actibus apostolorum scriptum est: « Facta est autem... (8, 1) preter apostolos ». Et Paulus ad Romanos ait: « Quis ergo nos separabit... (8, 35-39) domino nostro ». Et beatus Petrus in epistola prima ait: « Modicum nunc... (1, 6-7) revelationem Ihesu Christi ». Et Paulus in Actibus apostolorum ait: « Viri fratres, ego... (23, 1-2) os eius ». Et iterum ait ipse Paulus ad Corinthios prima: « Usque in hanc horam esurimus... (4, 11-14) karissimos moneo ». Et beatus Pe- *fol. 50r* trus in epistola prima ait: « Et quis est qui... (3, 13-14) non conturbemini ». Et Paulus ad Corinthios, in prima, de se ait: « Ego enim sum minimus... (15, 9) ecclesiam dei ». Et Paulus ad Corinthios, in secunda, ait:

8 ss *fol. 48v-51r* Et in evangelio... *alia manu*   14 *add. marg.*

Ms. Firenze, Nazionale, I 11 44, fol. 51 r : fin des fragments *De persecutionibus*. En bas du folio le cryptogramme faisant mention d'un consolamentum : Sagimbenus fuit consolatus 13 die mensis novembris prima die quadragesime de nativitate a domino henrico in salmignono, et putat quod ipse erat 51 (?) annorum et dimidii vel circa. anno domini 1258 (?) ut ipse credit.

« In omnibus tribulationem... (4, 8-11) carne nostra mortali ». Et ad Ephesios ipse Apostolus ait: « De cetero fratres... (6, 10-18) et in ipso vigilantes ». Et ad Corinthios, in secunda, ipse ait: « Benedictus deus et pater... (1, 3-11) in oratione pro nobis ». Et ad Galathas Paulus ait: *fol. 50v*

5 « Audistis enim conversationem... (1, 13-14) mearum traditionum ». Et iterum ad Corinthios, in secunda, ait: « In quo quis... (11, 21-29) et ego non uror »? Et ad Tesalonicenses, in secunda, Paulus ait: « Ita ut et nos ipsi in vobis... (1, 4-7) domini nostri Ihesu Christi de celo ». Et ad Timotheum, in prima epistola, de se Paulus ait: « Gratias ago ei qui me...

10 (1, 12-13) in incredulitate ». Et ad Tesalonicenses, in prima, ipse Apo- *fol. 51r* stolus ait: « Vos autem, fratres, imitatores facti estis... (2, 14-16) illos usque in finem ». Et iterum: « Misimus fratrem nostrum Timotheum... (3, 2-5) inanis fiat labor vester ». Et ad Corinthios prima Paulus ait: « Si in hac vita... (15, 19) omnibus hominibus ». Et ad Philipenses Paulus

15 ait: « Et in nullo terreamini... (1, 28-30) nunc audistis de me ». Unde ipse Paulus ad Timotheum in eadem epistola secunda (3, 10-12) ait: « Tu autem asecutus es meam doctrinam, institutionem, propositum, fidem, longanimitatem, dilectionem, pacientiam, persecutiones, passiones: qualia michi facta sunt Antiochie, Iconi, Listris; quales persecutiones sustinui, ex

20 omnibus me eripuit dominus. Et omnes qui pie volunt vivere in Christo Ihesu, persecutionem paciuntur ».

Finito libro referamus gratiam Christo.

FRAGMENTUM RITUALIS

(ff. 37ͬ-44ͬ)

[Traditio Orationis sancte]

(initium deest).

(predicatio ordinati sequitur).

...mites leticiam in domino, et pauperes homines in sancto Israel exul-
tabunt; quoniam defecit qui prevalebat, consumatus est illusor et succisi
sunt omnes qui vigilabant super iniquitatem, qui peccare faciebant homines in verbo, et arguentem in porta supplantabant ».

De miseratione populi.

Et sic pro istis rationibus et aliis multis, datur intelligi quod pater
sanctus vult sui populi misereri, et recipere eum ad pacem et concordium
illius per adventum filii eius Ihesu Christi. Unde hec est causa quare hic
estis coram discipulis Ihesu Christi, ubi pater et filius et spiritus sanctus
spiritualiter habitat, sicut superius hostensum est, ut illam orationem sanctam recipere valeatis, quam suis discipulis tribuit dominus Ihesus Christus, ita ut deprecationes et orationes vestre exaudiantur a sanctissimo
nostro patre, sicut David ait: « Dirigatur oratio mea sicut incensum in conspectu tuo ».

De receptione orationis sancte.

Unde debetis intelligere quod modo debetis recipere istam orationem
sanctam, id est « Pater noster ». Oratio quidem brevis est, sed magna
continet. Unde ille qui debet dicere « Pater noster » debet eum honorare
cum bonis operibus. Filius dicitur amor patris: unde qui hereditarius filius esse desiderat, a malis operibus se penitus dividat.

1-3 *addidi.* — Nota : In edendo rituali rectis litteris sermones et orationes ex-
pressimus, inclinatis vero vel italicis ea quae ordinem innuunt agendorum quaeque
in nostris libris liturgicis rubro colore exprimi solent. De rituali vid. praefationem,
pag. 34 ss.

4-7 Isa. 29, 19-21   16 Ps. 140, 2

« Pater noster » dictio est vocativa; quasi dicat: O pater salvandorum tantum.

« Qui es in celis », id est qui habitas in sanctis, vel in celestibus virtutibus. Et ideo dixit forsan « Pater noster qui es in celis » ad differenciam patris diaboli, qui mendax est et pater malorum, scilicet illorum qui ab omni miseratione salutis penitus sunt carentes. Et ideo dicimus « Pater noster ».

« Sanctificetur nomen tuum »: Per nomen dei lex Christi intelligitur, quasi dicat: lex tua firmetur in populo tuo.

« Adveniat regnum tuum »: Per regnum dei intelligitur Christus, sicut in evangelio Christus ait: « Ecce regnum dei intra vos est ». Vel per regnum dei intelligitur populus dei qui salvaturus erat, quasi dicat educ domine populum tuum de terra inimici. Unde propheta Ioel ait: « Inter vestibulum et altare plorabunt sacerdotes, ministri domini, et dicent: parce, domine, parce, populo tuo; et ne des hereditatem tuam in opprobrium, ut dominentur eis nationes. Quare dicunt in populis: ubi est deus eorum? » Et ideo cottidie rogant christiani piissimum suum patrem pro salute dei populi.

« Fiat voluntas tua, sicut in celo et in terra »; quasi dicat: sic tua voluntas perficiatur in populo isto, qui terrene nature adhesit, sicut perficitur in superno regno, vel in Christo, qui ait: « Non veni ut faciam voluntatem meam, sed voluntatem eius qui misit me patris ».

« Panem nostrum supersubstancialem »: Per panem supersubstancialem intelligitur lex Christi, que data fuit super universum populum. Unde Ysayas ait de hoc pane, ut creditur: « Et apprehendent in die illa septem mulieres virum unum, dicentes: panem nostrum comedemus, et vestimentis nostris operiemur; tantummodo invocetur nomen tuum super nos ». Et David ait: « Percusus sum ut fenum, exaruit cor meum, quia oblitus sum comedere panem meum ». Et in libro Sapientie scriptum est: «.Esca angelorum nutristi populum tuum, et paratum panem de celo prestitisti illis sine labore, omne delectamentum in se habentem, et omnem saporis suavitatem. Substanciam enim tuam et dulcedinem quam in filios habes hostendebas, et serviens uniuscuiusque voluntati, ad quod quis volebat convertebatur ». Et per Ysaiam do-

---

12 Intelligitur *scripsi*: *ms* intelligi   19 qui *sup. lin.*   21 sed *sup. lin.*   23 intelligitur *scripsi*: *ms* intelligi   23 post populum *ms add. et del.* Da nobis hodie: quasi dicat, Sancte pater, tribue nobis tuas vires ut in hoc tempore gracie perficere valeamus legem et precepta filii tui qui vivus est panis   24 de hoc pane ut creditur *add. marg.*   26 operiemur *V:* *ms* operimur

---

11 Luc. 17, 21   13 ss. Ioel. 2, 17   20 Ioan. 6, 38   24 Isa. 4, 1
27 Ps. 101, 5   28 Sap. 16, 20-21

minus ait: « Frange esurienti panem tuum, egenos vagosque induc in domum
tuam; si videris nudum operi eum, et carnem tuam ne despexeris ». De
isto pane, ut creditur, Ieremias in Trenis ait: « Parvuli pecierunt panem, et
non erat qui frangeret eis ». Et Christus in evangelio Iohannis, ad Iudeos
5 ait: « Amen, amen dico vobis, non Moyses dedit vobis panem de celo, sed
pater meus dat vobis panem de celo verum. Panis enim dei est, qui descendit *fol. 38r*
de celo, et dat vitam mundo ». Et iterum: « Ego sum panis vite », id est ego
habeo mandata vite, « qui venit ad me non esuriet, et qui credit in me non
siciet unquam ». Et iterum: « Amen, amen dico vobis: qui credit in me, ha-
10 bet vitam eternam. Ego sum panis vite. Patres vestri in deserto manduca-
verunt mannam, et mortui sunt. Hic est panis de celo descendens, ut si quis
ex ipso manducaverit, non morietur. Ego sum panis vivus, qui de celo
descendi. Si quis manducaverit ex hoc pane », id est si quis observaverit
precepta mea, « vivet in eternum; et panis quem ego dabo ei, caro mea est
15 pro mundi vita », id est populi. « Litigabant ergo Iudei ad invicem, dicentes:
Quomodo potest hic nobis carnem suam dare ad manducandum? » quasi
dicat: questio erat inter iudaicum populum qua ratione Christus potest tradere illis precepta illius ad observandum? Ignorabant enim divinitatem filii
dei. Dixit ergo eis Ihesus: « Amen, amen dico vobis, nisi manducaveritis
20 carnem filii hominis », id est nisi observaveritis precepta filii dei, « et eius
sanguinem biberitis », id est nisi spiritualem intentionem novi testamenti receperitis, « non habebitis vitam in vobis. Qui manducat meam carnem et bibit meum sanguinem habet vitam eternam; et ego resuscitabo eum in novis-
simo die. Caro enim mea vere est cibus, et sanguis meus vere est potus ».
25 Alio Christus ait: « Meus cibus est ut faciam voluntatem patris mei qui misit
me, ut perficiam eius opus ». Et iterum: « Qui manducat meam carnem, et
bibit meum sanguinem, in me manet et ego in illo ». Vere ergo falsi presbiteri
carnem domini nostri Ihesu Christi non manducant, nec bibunt eius sanguinem, quia non manent in domino Ihesu Christo. Unde beatus Iohannes
30 in epistola prima ait: « Qui autem servat verbum eius, vere in hoc caritas
dei perfecta est; in hoc scimus quoniam ex deo sumus. Qui dicit se in ipso
manere, debet sicut ipse ambulavit et ille ambulare ».

De isto pane scriptum est in evangelio beati Mathei, ut creditur: « Ce-
nantibus autem illis, accepit Ihesus panem », id est spiritualia precepta legis
35 et prophetarum, et « benedixit », id est laudavit et confirmavit ea, « ac *fol. 38v*
fregit », id est spiritualiter ea exposuit, et « deditque discipulis suis », id

---

11 sunt: *ms* sum   31 est *sup. lin.*   35 et prophetarum *add. infra lin.*

---

1 Isa. 58, 7   3 Thren. 4, 4   5 Ioan. 6, 32-33   7-8 Ioan. 6, 35   9 ss
Ioan. 6, 47-56   25 Ioan. 4, 34   26 Ioan. 6, 57   30 I Ioan. 2, 5-6   33 ss Matth.
26, 26

est precepit illis ut ea spiritualiter observarent, « et dixit: Accipite », id est conservate ea, « et comedite », id est aliis predicate — unde beato Iohanni evangeliste dictum fuit: « Accipe librum et devora illum » et cetera. « Et dixit michi: oportet te iterum prophetare populis, et gentibus, et linguis, et regibus multis » — « hoc est corpus meum ». Hic dicit 5 de pane « hoc est corpus meum »; superius dixit: « Et panis quem ego dabo ei, caro mea est pro mundi vita ». De preceptis legis et prophetarum spiritualliter intellectis, ut creditur, dixit « hoc est corpus meum » vel « caro mea », quasi dicat: ibi sum, ibi habito. Unde Apostolus in prima ad Corinthios ait: « Calix benedictionis, cui benedicimus, nonne comunicatio sanguinis Christi 10 est ? et panis, quem frangimus, nonne participatio corporis domini est ? Quoniam unus panis, unum corpus multi sumus, omnes enim de uno pane » et de uno calice « participamur », id est de una spirituali intentione legis et prophetarum et novi testamenti. Et iterum: « Ego enim accepi a domino quod et tradidi vobis, quoniam dominus Ihesus, in qua nocte tradebatur, accepit 15 panem, et gratias agens fregit et dixit: accipite, et manducate, hoc est corpus meum, quod pro vobis tradetur » — quasi dicat: hec spiritualia precepta veterum scripturarum sunt corpus meum, que pro vobis tradentur populo — « hoc facite in meam commemorationem. Similiter et calicem, postquam cenavit, dicens: hic calix novum testamentum est in meo sanguine, hoc facite 20 quocienscumque biberitis in meam commemorationem ». Hic intelligitur panis supersubstantialis.

Sequitur: « Da nobis hodie », id est in hoc tempore gracie, vel dum sumus in hac temporali vita da nobis virtutem tuam ut perficere valeamus legem filii tui Ihesu Christi.

« Et dimitte nobis debita nostra », id est peccata comissa et preterita non imputabis nobis, qui precepta tui filii observare volumus.

« Sicut et nos dimittimus debitoribus nostris », id est sicut et nos dimittimus persecutoribus et malefactoribus nostris.

« Et ne nos inducas in temptationem », id est non permitas nos amplius 30 in temptationem induci, postquam legem tuam observare cupimus. Temptatio vero alia est carnalis et alia diabolica. Diabolica est illa que suggestione diaboli a corde procedit, veluti error, cogitationes inique, odium et similia. Carnalis est illa que fit propter humanitatem, ut fames, sitis, frigus et similia,

---

2 aliis *scripsi: ms* alios   7 et prophetarum *add. marg.*   16 *post* agens *add. in marg.* fregit *et al. m.* benedixit, *et sic legend. est* gratias agens benedixit fregit et dixit (*cf. Can. missae romanae*)   18 *ms* tradetur   21 *ms* intelligi

---

3-5 Apoc. 10: 9, 11   5 Matth. 26, 26   6 Ioan. 6, 52   10 I Cor. 10, 16-17
14 ss I Cor. 11, 23-25

et illam evitare non possumus. Unde Apostolus in prima ad Corinthios ait:
« Tenptatio vos non apprehendat nisi humana. Fidelis autem deus est, qui
non pacietur vos temptari supra id quod potestis; sed faciet cum temptatione
etiam proventum ut positis sustinere ».

5 « Sed libera nos a malo », id est a diabolo, qui temptator est fidelium, et
ab operibus illius.

« Quoniam tuum est regnum » — hoc verbum dicitur esse in libris grecis
vel hebraicis — quasi dicat: hec ratio est quare quod petimus nobis facere
debes, quia populus tuus sumus.

10 « Et virtus », quasi dicat: potestatem salvandi nos habes tu.

« Et gloria », id est laus et honor est tuus, si hoc facis populo tuo.

« In secula », id est in celestibus creaturis.

« Amen », id est sine defectu.

Unde debetis intelligere si hanc orationem recipere vultis, quia oportet
15 vos peniteri de omnibus peccatis vestris, et dimittere omnibus hominibus,
quia in evangelio Christus ait: « Nisi dimiseritis hominibus peccata eorum,
nec pater vester celestis dimittet vobis peccata vestra ». Item oportet ut
preponatis in corde vestro observare istam sanctam orationem toto tempore
vite vestre, si deus recipiendi gratiam vobis tribuerit, secundum consuetudi-
20 nem ecclesie dei, cum obedientia et castitate et omnibus aliis virtutibus bonis,
quas deus vobis tribuere voluerit. Unde rogamus bonum dominum, qui virtutem recipiendi hanc orationem tribuit discipulis Ihesu Christi cum firmitate,
quod ipse tribuat vobis vim recipiendi illam cum firmitate, ad onorem illius
et ad salutem vestram. Parcite nobis.

25 *Tunc ordinatus accipiat librum de manibus credentis et dicat:* Iohannes
— *si sic vocatur nomen eius* — habetis voluntatem recipiendi istam sanctam
orationem sicut memoratum est et retinere illam toto tempore vite vestre
cum castitate et veritate et humilitate et cum omnibus aliis virtutibus bonis, *fol. 39v*
quas deus vobis tribuere voluerit? » — *Et credens respondeat:* « Sic, habeo,
30 rogate patrem sanctum quod ipse tribuat michi vim suam ». — *Et ordinatus*
dicat: « Deus tribuat vobis gratiam recipiendi illam ad honorem eius et
vestram salutem ».

---

1 *ms* possimus   8 debes *ex* debet *cor. ms*   10 nos *sup. lin.*   26 voluntatem
scripsi: ms voluntatit

---

2 I Cor. 10, 13   7-13 Quoniam tuum est regnum et virtus et gloria in secula.
Matth. 6, 13: *Om. V; graec.* ὅτι σοῦ ἐστιν ἡ βασιλεία καὶ ἡ δύναμις καὶ ἡ δόξα
εἰς τοὺς αἰῶνας. *Videas quaeso praefationem, p. 48*   16 Matth. 6, 15; Marc. 11, 26

De ministerio ecclesiastico.

Tunc ordinatus *dicat* credenti: « Dicite orationem mecum verbo ad verbum, et perdonum dicite [sicut dixerit ille ». — *Et dicat*] *sicut dixerit ille qui est iuxta ordinatum. Tunc ordinatus incipiat perdonum. Postea dicat orationem sicut est consuetudo. Finita oratione et gratia, tunc credens cum reverentia dicat coram ordinato*: « Benedicite, parcite nobis, amen. Fiat nobis, domine, secundum verbum tuum ». — *Et ordinatus dicat*: « Pater et filius et spiritus sanctus dimittat vobis omnia peccata vestra ».— *Et tunc credens surgat. Ordinatus dicat*: « A deo et nobis et ab ecclesia et suo sancto ordine et a suis sanctis preceptis et discipulis habeatis potestatem istius orationis dicendi eam ad comestionem et potationem vestram de die nocteque, solus et cum societate, sicut est consuetudo ecclesie Ihesu Christi; et non debeatis comedere neque bibere sine ista oratione. Et si fallimentum adherit, quod manifestabitis ad ordinatum ecclesie cicius quam poteritis, et portabitis illam penitentiam quam ipse vobis dare voluerit. Dominus deus verus det vobis graciam observandi illam ad honorem illius et salutem vestri ». — *Tunc credens faciat tres reverencias dicendo*: « Benedicite, benedicite, benedicite, parcite nobis. Dominus deus tribuat vobis bonam mercedem de illo bono quod fecistis michi amore dei ».

Tunc si credens non debet consolari, oportet accipere servicium et ire ad pacem.

[De acceptione consolamenti]

Et si credens debet consolari in presenti postquam recepit orationem, tunc ipse credens debet venire cum illo qui ancianus est de hospicio illius et debent facere tres reverentias coram ordinato, et rogare de bono illius credentis. Hoc facto, tunc ordinatus et christiani et christiane debent rogare deum cum septem orationibus, ita quod ordinatus audiatur; et hoc facto, tunc ordinatus dicat: « Fratres et sorores, si dixissem vel fecissem aliquid contra deum et salutem meam, rogate dominum deum pro me quod ipse michi parcat ». — *Et ille ancianus qui est iuxta ordinatum dicat*: « Pater sanctus, iustus et verax et misericors, qui potestatem habet in celo et in terra dimittendi peccata, ipse dimitat vobis et parcat omnia peccata vestra in hoc seculo, et futuro faciat vobis misericordiam ». — *Et ordinatus dicat*: « Amen.

fol. 40r

---

3 sicut... dicat *coni.*   3 sicut dixerit[2]: *ms* sic deixerit   10 comestionem *ex* comestitionem *cor. ms*   11 et *sup. lin.*   22 *addidi.*

Fiat nobis, domine, secundum verbum tuum ». — *Tunc omnes christiani et christiane faciant tres reverentias, dicendo*: « Benedicite, benedicite, benedicite, parcite nobis. Si dixisemus aut fecissemus aliquid contra deum et salutem nostram, rogate deum misericordie quod ipse nobis parcat; bene-
5 dicite, parcite nobis ». — *Et ordinatus respondeat*: « Pater sanctus, iustus, verax, et misericors » *et cetera, sicut superius dictum est.*

De acceptione libri.

Et hoc facto, tunc ordinatus aptet discum icoram se. Tunc credens veniat coram ordinato et accipiat librum de manibus ordinati, cum tribus reveren-
10 *tiis, sicut ad orationem fecit et superius memoratum est. Tunc dicat ordinatus*: « Iohannes, habetis voluntatem recipiendi baptismum spirituale Ihesu Christi et perdonum vestrorum peccatorum, propter deprecationem bonorum christianorum cum impositione manuum, et retinere illud toto tempore vite vestre cum castitate et humilitate et cum omnibus aliis virtutibus bonis,
15 quas deus vobis tribuere voluerit? » — *Et credens respondeat*: « Sic, habeo, rogate deum quod ipse tribuat michi vim suam ». — « *Et ordinatus dicat*: « Deus tribuat vobis gratiam recipiendi illud ad honorem illius et salutem vestram ».

De predicatione ordinati.

20 *Tunc ordinatus incipiat predicationem tali modo, si ei placet*:
O Iohannes! vos debetis intelligere quod modo in hac secunda vice venistis coram deo et Christo et spiritu sancto quando venistis coram ecclesia dei, sicut superius per scripturas est ostensum, et debetis intelligere, quod estis hic coram dei ecclesia causa recipiendi perdonum vestrorum pec-
25 catorum propter deprecationem bonorum christianorum cum impositione manuum. Et hoc dicitur spirituale baptismum Ihesu Christi et baptismum spiritus sancti, sicut Iohannes Baptista ait: « Ego quidem baptizo vos in aqua in penitenciam; qui autem post me venturus est forcior me est, cuius non sum dignus calciamenta portare; ipse vos baptizabit in spiritu sancto *fol. 40v*
30 et igni », id est ipse vos lavabit et mundabit in spirituali intellectu et in operibus bonis. Per hoc baptismum intelligitur illa spiritualis renasio de qua Christus ad Nichodemum ait: « Nisi quis renatus fuerit ex aqua et spiritu sancto, non potest introire in regnum dei ». Baptismum dicitur lavatio vel supertinctio. Unde intelligendum est, quod Christus non venit causa
35 lavandi sordes carnis, sed causa abluendi sordes animarum dei, que contagio

---

9 coram: *ms* corat   22 venistis[1]: *ms* vinistis: 31 *ms* intelligi   34 *ms* supertictio

26 Matth. 3, 11   31 Ioan. 3, 5

malignorum spirituum sorditate erant. Sicut dominus per Baruch prophetam ait ad Israel: «Audi, Israel, mandata vite; auribus percipe ut scias prudenciam. Quid est, Israel, quod in terra inimicorum es, inveterasti in terra aliena, coinquinatus es cum mortuis, deputatus es cum descendentibus in inferno? Dereliquisti fontem vite et sapiencie. Nam si in via dei ambulases, 5 habitases utique in pace sempiterna». Et David ait: «Deus venerunt gentes in hereditatem tuam; poluerunt templum sanctum tuum; posuerunt Ierusalem in pomorum custodiam». Et sic dei populus pollutus fuit propter societatem spirituum malignorum. Unde placuit sanctissimo patri lavare populum suum a sordibus peccatorum per baptismum sui sancti filii Ihesu 10 Christi. Sicut beatus Apostolus ad Hephesios ait: «Viri, diligite uxores vestras, sicut et Christus dilexit ecclesiam, et semetipsum tradidit pro ea, ut illam sanctificaret, mundans eam lavacro aque in verbo vite. ut exiberet ipse sibi gloriosam ecclesiam, non habentem maculam aut rugam aut aliquid huiusmodi, sed ut sit sancta et immaculata». 15

Et sic propter adventum domini nostri Ihesu Christi per virtutem patris sanctissimi per spirituale baptismum illius mundati fuerunt discipuli Ihesu Christi a sordibus peccatorum illorum. Qui virtutem et potestatem receperunt a domino Ihesu Christo, sicut ipse acceperat a sanctissimo suo patre ut possent et ipsi per illius baptismum peccatores alios mundifficare. Sicut in 20 evangelio beati Iohannis reperitur post resurrectionem domini Ihesu Christi, qui ait discipulis suis: «Sicut misit me pater et ego mitto vos. Hec cum dixiset, insufflavit, et dixit eis: accipite spiritum sanctum; quorum remiseritis peccata, remittuntur eis; et quorum retinueritis, retempta sunt». Et in *fol. 41r* evangelio Mathei Christus ait ad discipulos suos: «Amen dico vobis, que- 25 cumque alligaveritis super terram erunt ligata in celo; et quecumque solveritis super terram erunt soluta et in celo. Iterum dico vobis, quia si duo ex vobis consenserint super terram, de omni re quamcumque pecierint fiet illis a patre meo qui in celis est». Et iterum: «Quem dicunt homines esse filium hominis? At illi dixerunt: Alii Iohannem Baptistam, alii autem Elyam, 30 alii vero Yeremiam, aut unum ex prophetis. Dicit illis Ihesus: Vos autem quem me esse dicitis? Respondens Simon Petrus dixit: Tu es Christus, filius dei vivi. Respondens autem Ihesus, dixit ei: Beatus es, Simon Bariona, quia caro et sanguis non revellavit tibi, sed pater meus qui in celis est. Et ego dico tibi quia tu es petrus, et super hanc petram hedifficabo ecclesiam 35

---

2 scias *sup. lin.*   4-5 in inferno (*sic*) *add. marg.*

---

2 Bar. 3, 9-13   6 Ps. 78, 1   11 Ephes. 5, 25-27   22 Ioan. 20, 21-23
25 ss Matth. 18, 18-19   29 Matth. 16, 13-19

meam, et porte inferi non prevalebunt adversus eam. Et tibi dabo claves
regni celorum» — tibi pro omnibus —, «et quodcumque ligaveris super
terram erit ligatum et in celis, et quodcumque solveris super terram erit
solutum et in celis». Et iterum discipulis suis ait: «Euntes in mundum uni-
5 versum, predicate evangelium omni creature, qui crediderit et baptizatus
fuerit, salvus erit; qui vero non crediderit, condempnabitur. Signa autem eos
qui crediderint, hec sequentur: in nomine meo demonia eicient, linguis loquen-
tur novis, serpentes tollent, et [si] mortiferum quid biberint non nocebit eis,
super egros manus imponent et bene habebunt». Et iterum: «Undecim autem
10 discipuli abierunt in Galileam, in montem ubi constituerat illis Ihesus. Et
videntes eum, adoraverunt; quidam autem dubitaverunt. Et accedens Ihesus
locutus est eis, dicens: Data est michi omnis potestas in celo et in terra.
Euntes ergo, docete omnes gentes, baptizantes eos in nomine patris et filii
et spiritus sancti, docentes eos servare omnia quecumque mandavi vobis.
15 Et ecce ego vobiscum sum omnibus diebus usque ad consumationem seculi».
Nullus ergo sapiens credat quod ecclesia Ihesu Christi istud baptismum
faciat impositionis manuum sine manifesta ratione scripturarum, nec presumat
quod ecclesia dei istud faciat ordinamentum per illorum presumptionem et
humanam divinationem aut per ignotam et invisibilem inspirationem spiri- *fol. 41v*
20 tuum, sed visibiliter discipuli Ihesu Christi abierunt et steterunt cum domino
Ihesu Christo, qui ab eo receperunt potestatem baptizandi et dimittendi peccata, sicut hodie faciunt veri christiani, qui tanquam discipulorum heredes
gradatim potestatem ab ecclesia dei receperunt istud baptismum impositionis
manuum visibiliter faciendi et dimittendi peccata. Unde palam invenitur
25 per scripturas novi testamenti, discipuli Ihesu Christi post ascensionem illius
hoc ministerium impositionis manuum visibiliter utaverunt, sicut palam perpenditur in scripturis. In Actibus apostolorum scriptum est: «Cum autem
audissent apostoli, qui erant Ierosolimis, quia recepit Samaria verbum dei,
miserunt ad eos Petrum et Iohannem; qui cum venissent, oraverunt pro ipsis,
30 ut acciperent spiritum sanctum: nondum enim in quemquam illorum venerat,
sed baptizati tantum erant in nomine domini Ihesu. Tunc imponebant manus
super illos, et accipiebant spiritum sanctum». Et iterum: «Factum est

---

2 ligaveris *ex* ligaveritis *cor. ms* 3 solveris *ex* solveritis *cor. ms.* 4 in¹ *sup.*
lin. 8 si *V* 10 Galileam *ex* gagilileam *cor. ms* 17 *ms* presomat 18 *ms*
presuntionem 19 *ante* humanam *add. et del.* hunationem 19 divinationem *cor.*
ms ex divinitatem 28 quia *add. marg.*

4-10 Marc. 16, 15-18 9-15 Matth. 28, 16-20 27-32 Act. 8, 14-17 32 ss
Act. 19, 1-7

autem, cum Apollo esset Corinthi, et Paulus, peragratis superioribus partibus,
veniret Ephesum, et inveniret quosdam discipulos, dixit ad eos: Si spiritum
sanctum accepistis credentes? At illi dixerunt ad eum: Sed neque si spiritus
sanctus est, audivimus. Ille vero ait: In quo ergo baptizati estis? Qui dixerunt:
In Iohannis baptismate. Dixit autem Paulus: Iohannes baptizavit baptismo 5
penitentie populum, dicens in eum qui venturus esset post ipsum ut cre-
derent, hoc est, in Ihesum. His auditis, baptizati sunt in nomine domini nostri
Ihesu Christi. Et cum imposuisset illis manus Paulus, venit spiritus sanctus
super eos, et loquebantur linguis et prophetabant. Erant autem omnes viri
fere duodecim». Et in eisdem Christus ad Annaniam ait: «Surge, et vade 10
in vicum qui vocatur Rectus, et quere in domum Iude Saulum nomine, Tar-
sensem; ecce enim orat. Et vidit virum Ananiam nomine, introeuntem, et
imponentem sibi manum ut visum recipiat» et cetera. «Et abiit Ananias, et
introivit in domum, et imponens ei manum, dixit: Saule frater, Dominus
Ihesus misit me, qui apparuit tibi in via qua veniebas, ut videas et implearis 15
fol. 42r spiritu sancto. Et confestim ceciderunt ab occulis eius tanquam squame, et
'visum recepit; et surgens baptizatus est. Et cum accepisset cibum, confor-
tatus est». Et iterum: «Contingit autem patrem Publii febribus et discen-
teria vexatum iacere. Ad quem Paulus intravit; et cum orasset et imposuisset
ei manus, sanavit eum». Et ad Timotheum Apostolus ait: «Propter quam 20
causam amoneo te ut resuscites gratiam dei, que est in te per impositionem
manuum mearum». Et iterum: «Manus cito nemini imposueris, neque co-
municaveris peccatis alienis». Et ad Hebreos idem ait: «Baptismatum
doctrine, impositionis quoque manuum».

Et de isto baptismate beatus Petrus, ut creditur, in epistola prima ait: 25
«In diebus Noe, cum fabricaretur arca, in qua pauci, id est octo anime
salve facte sunt per aquam; quod et vos nunc similis forme salvos facit baptisma, non carnis depositio sordium, sed conscientie bone interrogatio in
deum per resurrectionem Ihesu Christi». Sed hic aliquantulum considerandum est quia illi qui salvati fuerunt in arca Noe secundum istoriam veteris 30
testamenti non bene fuerunt salvati, ut videtur, quia invenitur quod Noe
cum filiis et uxoribus et animantibus exivit de arca illius dei et plantavit
vineam et bibit de mero et ebrius fuit et cecidit et ostendit turpitudinem
suam. Maledixit filium suum Canaan, dicens: «Canaan maledictus, servus
servorum erit fratrum suorum», qui unus fuerat ex salvatis de arca. Inve- 35

---

5 baptismo: *ms* baptismum   14 *ms* introvit

10-18 Act. 9, 11-19   18 Act. 28, 8   20 II Tim. 1, 6   22 I Tim. 5, 22
23 Hebr. 6, 2   26 I Pet. 3, 20   34 Gen. 9, 25

nitur etiam in veteri testamento quod illi, qui exierunt de arca illa et eorum
heredes, peccata multa et scelera turpissima perpetraverunt et postea penu-
riam maximam et contumeliam nimiam receperunt ita ut occiderent se invicem. Unde creditur quod beatus Petrus non dixit de illo Noe veteris testa-
5 menti nec de illa arca, sed dixit de arca testamenti quam fecit dominus pro
salute populi sui, de qua Apostolus ad Hebreos ait: « Fide Noe, responso
accepto de his que adhuc non videbantur, metuens aptavit arcam in salutem
domus sue, per quam dampnavit mundum; et iustitie, que per fidem est, heres
est institutus ». Et Ihesu filius Syrach ait: « Noe inventus est perfectus,
10 et in tempore iracundie factus est reconciliatio. Ideo dimissum est reliqum *fol. 42v*
terre, cum factum est diluvium. Testamenta seculi posita sunt apud illum,
ne deleri possit diluvio omnis caro ». Et de isto Noe dixit beatus Petrus in
epistola secunda, ut creditur: « Et originali mundo non pepercit, sed octavum
Noe iustitie preconem custodivit, diluvium mundo impiorum inducens ». Et
15 hoc est quod dicitur, scilicet quod pater sanctus legem et testamentum antiquitus suo populo tribuit et omnes illi qui intraverunt in arcam illam, scilicet
qui observaverunt testamentum illud, salvi fuerunt; sicut salvantur omnes
qui intrant in arcam novi testamenti et remanent in ea.

Et secundum hoc bene potuit dicere beatus Petrus: « Sed nunc baptisma
20 facit nos salvos similis forme », quasi dicat: sicut illi salvati fuerunt per
ordinamentum illud, ita et per baptismum Ihesu Christi modo salvantur
christiani similis forme. Ad hoc consonat quod propheta David ait: « Et
enim deus noster ante secula, operatus est salutem in medio terre ». Et
Ysaias ait: « Transit messis, finita est estas, et nos salvati non sumus ». Et
25 Apostolus de Christo ad Hebreos ait: « Decebat enim eum, propter quem
omnia, et per quem omnia, qui multos filios in gloriam adduxerat, autorem
salutis eorum per passionem consumari ». Et « non depositio sordium carnis
facit nos salvos, sed interrogatio in deum bone conscientie », quasi dicat:
non per opera ecclesie salvari possumus sine hoc baptismate, scilicet per
30 interrogationem bone conscientie, que fit ad deum per ministros Christi.
Sicut Apostolus in prima ad Corinthios ait: « Et adhuc excellentiorem viam
vobis demonstro. Si linguis hominum loquar et angelorum, caritatem autem
non habeam, factus sum velud es sonans aut cinbalum tiniens. Et si habuero

---

7 salutem *V:* salute *ms*   8 que: *ms* quem   14 preconem *V:* precone *ms*
18 et *sup. lin.*   26 per quem: *ms* per quam   29 *ms* salvare   32 *ms* demostro

---

6 Hebr. 11, 7   9 Eccli. 44, 17-19   13 II Pet. 2, 5   19 I Pet. 3, 21
22 Ps. 73, 12   24 Ysaias *revera* Ierem. 8, 20   25 Hebr. 2, 10   27 I Pet. 3, 21
31 I Cor. 12, 31 *usque ad* 13, 3

11

propheciam et noverim misteria omnia et omnem scientiam, et si habuero omnem fidem ita ut montes transferam, caritatem autem non habeam, nichil sum. Et si distribuero in cibos pauperum omnes facultates meas, et si tradidero corpus meum ita ut ardeam, caritatem autem non habuero, nichil michi prodest», id est sine hoc baptismate spiritus caritatis. Unde veri cristiani 5 docti ab ecclesia primitiva hoc ministerium impositionis manuum visibiliter faciunt sine quo nullus salvare potest, ut creditur.

fol. 43r De receptione spiritualis baptismatis.

Unde debetis intelligere quod hec est causa quare hic estis coram ecclesia Ihesu Christi, scilicet occasione recipiendi istud baptismum sanctum impo- 10 sitionis manuum et perdonum peccatorum vestrorum, propter interrogationem bone conscientie que fit ad deum per bonos cristianos. Unde debetis intelligere sicut estis temporaliter coram dei ecclesia, ubi pater et filius et spiritus sanctus ˙spiritualiter habitat, quod ita spiritualiter cum anima vestra debetis esse coram deo et Cristo et spiritu sancto preparatus ad recipiendum istud 15 ordinamentum sanctum Ihesu Christi; et sicut recipistis librum in manibus vestris ubi precepta Christi scripta sunt et conscilia et mine, sic, spiritualiter debetis recipere legem Christi in operationibus anime vestre, ad observandum illam toto tempore vite vestre sicut scriptum est: « Diliges dominum deum tuum ex toto corde tuo, et ex tota anima tua, et ex omnibus viribus tuis, et 20 ex omni mente tua; et proximum tuum sicut teipsum ».

Unde debetis intelligere quod oportet vos diligere deum cum veritate, cum benignitate, cum humilitate, cum misericordia, cum castitate et cum aliis virtutibus bonis, quia scriptum [est] : «Castitas facit hominem esse proximum deo; similiter autem et corruptio facit ellongare». Et iterum: «Casti- 25 tas et virginitas angelis proxima est». Et Salamon ait: «Incorruptio facit esse proximum deo».

Item debetis intelligere quia oportet vos esse fidelem et legalem in tempo-

---

16 sicut *sup. lin.*   17 *ms* minas   23 est *supplevi*

---

19 Luc. 10, 27   24-26 Castitas *etc. Haec non inveni ad litteram; sensum multi doctores christiani tenent:* e. g. Irenaeus, Contra haereses IV 38 (Harvey t. II, lib. IV, cp. 63): « incorruptela vero proximum facit esse deo ». Augustinus, De sancta virginitate: « Virginalis autem integritas et per piam continentiam ab omni concubitu immunitas angelica portio est» (PL 40, col. 401). Bernardus, Liber de modo bene vivendi ad Sororem: « Continentia facit hominem proximum deo. Ibi habitat deus, ubi permanet continentia. Castitas iungit hominem caelo» (PL 184, c. 1239). 26 Sap. 6, 20

ralibus et in spiritualibus, quia si vos non fuissetis fidelis in temporalibus
non credimus quod possetis esse fidelis in spiritualibus, nec credimus quod
possetis salvari, quia Apostolus ait: «Neque rapaces regnum dei possidebunt». Item oportet vos facere hoc votum et hanc promissionem deo,
5 quod nunquam facietis homicidium nec adulterium nec furtum palam nec
privatim, nec iurabitis voluntarie aliqua occasione nec per vitam nec per
mortem. Unde David ait: «Vota mea domino reddam coram omni populo
eius. Preciosa in conspectu domini mors sanctorum eius». Item facietis hoc
votum deo, quod nunquam comedetis scienter nec voluntarie caseum nec
10 lactem, ovum, nec carnem avium reptilium nec bestiarum prohibitam per
dei ecclesiam.

Item per hanc iustitiam Christi oportuerit vos sustinere famem, sitim,
scandala, persecutionem et mortem, quod omnia hec sustinebitis amore dei
et vestra salute.

15 Item quod eritis obediens deo et ecclesie ad vestrum posse, ad dei *fol. 43v*
voluntatem et eius ecclesie et quod nunquam dimittetis hoc donum, si
dominus vobis recipiendi gratiam tribuerit, pro aliqua re que possit
vobis evenire, quia Apostolus dicit ad Hebreos: «Non sumus filii subtrac-
tionis in perditione, sed fidei in acquisitione anime». Et iterum in secunda
20 ad Timotheum ait: «Nemo militans deo implicat se negotiis secularibus, ut
ei placeat cui se probavit». Et in evangelio Luce ait: «Nemo mittens manum
suam in aratrum, et aspiciens retro, aptus est in regno dei». Et Ihesus
filius Sirach ait: «Qui baptizatur a mortuo et iterum tangit eum, quid proficit
lavatio illius? Sic homo qui ieiunat in peccatis suis, et iterum eadem fa-
25 ciens, quid facit humiliando se? Orationem illius quis exaudiet?» Et beatus
Petrus in secunda epistola ait: «Si enim refugientes coinquinationes mundi
in cognitione domini nostri et salvatoris Ihesu Christi, his rursum implicati
superantur, facta sunt eis posteriora deteriora prioribus. Melius enim erat
illis non cognoscere viam iustitie, quam post agnitionem retrorsum converti
30 ab eo sancto mandato, quod traditum est illis. Contingit enim illis illud veri
proverbii: Canis reversus ad suum vomitum; et, sus lota in volutabro luti».

Quare debetis intelligere si hoc donum dei receperitis quod oportebit vos
retinere illud toto tempore vite vestre cum puritate cordis et mentis.

Item non intelligat quisquam quod per istud baptismum quod recipere
35 intelligitis, quod debeatis contempnere aliud baptismum, nec cristianitatem
nec bonum aliquod quod fecistis vel dixistis usque tunc, sed debetis intel-

---

1 ms fideles   10 lactem ms   31 ms voluta broluti   36 vel coni.: ms nec

---

3 I Cor. 6, 10   7 Ps. 115, 14–15   18 Heb. 10, 39   20 II Tim. 2, 4
21 Luc. 9, 62   23 Eccli. 34, 30-31   26 II Pet. 2, 20-22

ligere quod oportet vos recipere istud sanctum ordinamentum Cristi pro
supplemento illius quod deficiebat ad salutem vestram.

Sed dominus deus verus tribuat vobis gratiam recipiendi hoc bonum
ad honorem illius et salutem vestram. Parcite nobis.

De officio consolamenti.

Tunc ordinatus accipiat librum de manibus credentis et dicat: « Iohannes — *si sic vocatur eius nomen* —, habetis voluntatem recipiendi istud
sanctum baptismum Ihesu Christi, sicut memoratum est, et retinere illud
toto tempore vite vestre cum puritate cordis et mentis et non deficere pro
aliqua re? » — *Et Iohannes respondeat*: « Sic, habeo, rogate bonum dominum pro me ut det michi suam gratiam ». — *Et ordinatus dicat*: « Dominus deus verus tribuat vobis gratiam recipiendi hoc donum ad honorem
illius et ad bonum vestrum ». — *Tunc credens stet cum reverencia coram
ordinato et dicat sicut dixerit ancianus qui fuerit apud ordinatum, qui dicat*: « Ego veni deo et vobis et ecclesie et vestro sancto ordine pro recipiendo perdonum et misericordiam de omnibus meis peccatis, que sunt in
me commissa et operata pro aliquo tempore usque modo, quod vos rogetis
deum pro me, quod ipse dimittat michi. Benedicite, parcite nobis ». —
Tunc ordinatus respondeat: « A deo et nobis et ecclesia et a suo sancto
ordine et a suis sanctis preceptis et dixipulis recipiatis vos perdonum et
misericordiam de omnibus vestris peccatis, que in vobis comissa sunt et
operata pro aliquo tempore usque modo, quod dominus deus misericordie
dimittat vobis et conducat vos ad vitam eternam ». — *Et credens dicat*:
« Amen, fiat nobis, domine, secundum verbum tuum ». — *Tunc credens
surgat et ponat suas manus super discum coram ordinato. Et ordinatus
tunc imponat librum super caput eius, et omnes alii ordines et christiani,
qui ibi fuerint, manus suas dexstras imponant super eum. Et ordinatus
dicat*: « In nomine patris et filii et spiritus sancti ». — *Et ille qui est
apud ordinatum dicat*: « Amen ». *Et omnes alii dicant plane. — Tunc ordinatus dicat*: « Benedicite, parcite nobis, amen. Fiat nobis, domine, secundum
verbum tuum, pater et filius et spiritus sanctus dimitat vobis et parcat
omnia peccata vestra. Adoremus patrem et filium et spiritum sanctum, adoremus patrem et filium et spiritum sanctum, adoremus patrem et filium et spiritum sanctum: Pater sancte, iustus et verax et misericors, dimitte servo tuo,
recipe eum in tua iustitia. — Pater noster qui es in celis, sanctificetur nomen
tuum » et cetera. — *Et dicat quinque orationes vociferando et postea Ado-*

fol. 44ʳ

5

10

15

20

25

30

35

---

9 aliqua: *ms* alliquam   15 *post* perdonum et *add.* petendo *sed cor. in* penitendo
et postea del.

remus *ter. Et postea dicat unam orationem et postea* « Adoremus patrem et filium et spiritum sanctum » *ter. Et postea* « In principio erat verbum », *et cetera. Finito evangelio, ter dicat* « Adoremus patrem et filium et spiritum sanctum », *et postea orationem unam. Et postea ter dicat* Adoremus,
5 *et levet gratiam.*

Et christianus osculet librum, et postea faciat tres reverentias, dicendo: « Benedicite, benedicite, benedicite, parcite nobis; deus reddat vobis bonam mercedem de illo bono quod michi fecistis amore dei ».

Tunc ordines, christiani et christiane recipiant servicium sicut consuetudo
10 *est ecclesie.*

Omnes boni christiani rogant deum pro illo qui scripsit has rationes. Amen. DEO GRATIAS.

---

2 In principio *et cetera, evang.* Ioannis *1, 1 usque ad 1, 17 inclusive, sec. rituale* Lugdunense. 11 Deo gratias *rub. litt.*

INDEX DES NOMS DE PERSONNES

I. Préface et Somme de Raynier.

II. Livre des deux principes et Rituel cathare.

TABLE DES TEXTES SCRIPTURAIRES

AUTORITÉS NON SCRIPTURAIRES DANS LE TEXTE

Aristoteles, III Physicorum (?) 141   Digesta IX 98 143
Liber de causa causarum (De causis) 82   Anonymi: 93 162

(les auteurs cités dans l'appareil critique sont nommés à la table des noms de personnes).

TABLE GÉNÉRALE

I. Préface.

II. Textes.